Le temps c'est de l'argent

Couverture
- Maquette
GAÉTAN FORCILLO

Maquette intérieure
- Conception graphique:
JEAN-GUY FOURNIER

DISTRIBUTEURS EXCLUSIFS:

- Pour le Canada:
AGENCE DE DISTRIBUTION POPULAIRE INC.*
955, rue Amherst, Montréal H2L 3K4 (tél.: 514-523-1182)
*Filiale de Sogides Ltée

- Pour la France et l'Afrique:
INTER-FORUM
13, rue de la Glacière, 75013 Paris (tél.: 570-1180)

- Pour la Belgique, la Suisse, le Portugal, les pays de l'Est:
S.A. VANDER
Avenue des Volontaires 321, 1150 Bruxelles (tél.: 02-762-0662)

Rita Davenport

Le temps, c'est de l'argent

Une méthode progressive qui vous conduira au succès

**Traduit de l'américain
par
Léandre Michaud**

LES ÉDITIONS DE L'HOMME *

CANADA: 955, rue Amherst, Montréal H2L 3K4

*Division de Sogides Ltée

Ce livre a été publié en américain sous le titre:
Making Time, Making Money
chez Saint Martin's Press, Inc.

Bibliothèque nationale du Québec
Dépôt légal 4e trimestre 1983

ISBN 2-7619-0314-5

*À mon père et à ma mère,
qui par leur amour m'ont
donné la force; à mon mari,
qui par son amour m'a
soutenue; à mes fils, Michael
et Scott, qui par leur amour
ont comblé ma vie.*

Introduction

**L'organisation de votre temps
peut faire de vous une gagnante**

Aimeriez-vous être une gagnante? Les désirs qui ont depuis toujours fait l'objet de vos rêves — jouer la *Sonate à la lune* de Beethoven, posséder une garde-robe de beaux modèles exclusifs, être en vedette au théâtre, vivre dans un château, conduire une Ferrari — peuvent devenir réalité.

Peut-être vos rêves sont-ils moins éclatants. Peut-être vous contenteriez-vous de rire lorsque votre enfant répand du sirop au chocolat sur votre plancher de cuisine frais lavé, ou seulement de terminer cette courtepointe commencée il y a trois ans.

Même si chacune définit un peu différemment ses objectifs, gagner veut vraiment dire obtenir ce que vous attendez de la vie. Cela veut dire: utiliser votre temps comme vous le voulez. Cela veut dire: créer un style de vie qui convient à vos besoins et à vos intérêts.

Selon ma définition, je suis une gagnante. Je ne suis pas millionnaire et je n'ai pas grimpé au sommet de l'Everest ou couru le marathon, mais je passe mon temps à faire les choses qui m'apportent le plus de joie et de satisfaction. Ce livre est conçu pour vous aider à atteindre le même succès dans votre propre vie.

Malheureusement, plusieurs parmi nous agissent comme cette femme qui avait économisé pendant dix ans pour se payer une croisière en Europe. Lorsqu'arriva le moment de payer son billet, elle se dit: "J'ai tout juste les moyens de payer le billet. Je ne peux pas me permettre des repas coûteux à bord du paquebot. Aussi vais-je apporter une bonne provision de fromage et de biscuits."

À bord, la dame participait allégrement à toutes les activités organisées mais lorsqu'arrivait l'heure du repas, elle se glissait doucement dans sa cabine pour mâchonner sa maigre pitance. Finalement, le long voyage tira à sa fin et le dernier soir notre amie décida de faire un peu d'épate et de manger avec les autres passagers à la salle à manger. Après avoir bien joui du festin, elle demanda l'addition.

Le serveur lui répondit: "Oh, madame, il n'y a pas d'addition. Vous avez payé vos repas en payant votre billet!"

Comme cette femme, nous regardons souvent mal notre billet pour la vie. Nous croyons que le bonheur et le succès n'arrivent qu'aux autres. Nous nous contentons de manger du fromage et des biscuits en nous disant que nous n'avons pas les moyens, que nous n'avons pas le temps ou que trop d'exigences pèsent déjà sur nous. Nous nous disons même parfois: "Je n'ai ni le talent ni les ressources pour obtenir tout ce que je veux vraiment tirer de la vie." Rappelez-vous, nous disposons toutes de la même quantité de temps. Personne ne jouit de plus de vingt-quatre heures par jour, et personne n'en a moins.

Le philosophe du dix-neuvième siècle, William James, écrivait: "En comparaison de ce que nous devrions être, nous ne sommes qu'à moitié éveillés. Nos flammes sont étouffées; nos projets meurent dans l'oeuf. Nous ne faisons usage que d'une partie de nos ressources physiques et mentales."

Je vous invite à vous joindre au festin. Vous pouvez jouir de la vie au maximum. Vous pouvez ouvrir la porte de votre immense potentiel. Cela commence avec la confiance en vous-même, un bon itinéraire et certains principes d'organisation du temps.

À la suite d'informations et de suggestions visant à vous faire épargner du temps, vous trouverez à la fin de ce livre une section pratique vous proposant des tâches à compléter. Vous profiterez ainsi des mêmes avantages que si vous participiez à un atelier d'organisation du temps. Les concepts proposés dans ce livre peuvent changer votre vie. Mais rappelez-vous, tout réside dans votre façon de choisir comment utiliser votre temps. Bonne chance, et puissent tous vos rêves devenir réalité.

1

Gagner, une question de choix

"La plupart d'entre nous traversons la vie sans savoir ce que nous voulons. La seule chose que nous sachions avec certitude, c'est ce que nous ne voulons pas."
(The Cosmic Humorist)

Avant de commencer à lire ce livre, je veux que vous vous arrêtiez un moment et que vous preniez conscience de votre réalité actuelle, de ce que vous êtes "ici et maintenant". Sortez de votre esprit le passé et l'avenir et concentrez-vous sur le moment présent. Respirez profondément, fermez les yeux, puis examinez-vous sérieusement, à l'intérieur de vous-même et à l'extérieur. Examinez aussi votre environnement. Savez-vous que tout ce que vous vivez en ce moment précis est le résultat de vos choix?

Pensez-y. Vous êtes dès maintenant sous contrôle, et les circonstances physiques, mentales, spirituelles, sociales, émotionnelles, financières et environnementales dans lesquelles vous vivez sont le résultat de centaines et de milliers de choix que vous avez faits tout au long de votre vie. Les choix que vous faites à partir de maintenant déterminent ce que vous serez demain, dans un mois, dans un an, dans cinq ans, etc. Nous sommes en fin de compte responsables de notre propre succès, de notre bonheur personnel et de nos relations avec les autres. Les résultats peuvent être épouvantables si nous faisons les mauvais choix.

"Ah, dites-vous, mais je ne peux pas être responsable de tout. Après tout, il y a des tas de choses qui ont influencé ma vie et que je n'ai pas choisies du tout. Je ne planifie pas tout ce qui arrive et je ne peux pas être complètement responsable!"

Vous avez naturellement raison. Vous ne pouvez contrôler *tous* les événements qui affectent votre vie, mais vous pouvez décider *comment* ils vont l'affecter. Laissez-moi vous donner un exemple.

J'ai grandi avec un jeune homme auquel on avait dit qu'il devrait travailler deux fois plus fort pour arriver parce qu'il n'était pas vraiment brillant, et encore... Une foule de personnes auraient été écrasées si elles avaient entendu de tels propos; elles se seraient senties très infériorisées. Mais ce jeune homme accepta le conseil en ce qui concerne le travail et il oublia tout le reste. Résultat: il possède maintenant une chaîne d'entreprises, il vit dans un environnement superbe et son succès financier est considérable.

Accepter la responsabilité de votre vie peut vous sembler un peu terrifiant au début, mais cela peut être aussi assez excitant. Après tout, qui peut s'occuper de vous mieux que vous-même? Le temps et le choix, c'est tout ce que vous avez. Votre façon de vous en servir est source de joie ultime ou de frustration constante.

Conduire votre cheval
dans la direction où il va

Il y a quelques années, une de mes amies gagna un quart de million de dollars en un an. J'étais fière pour elle — pas jalouse, car il y a longtemps que je ne perds plus mon temps à ça — et j'étais curieuse de savoir pourquoi elle était tellement plus productive que moi. (À propos, c'est vous qui souffrez si vous éprouvez du ressentiment à cause des réussites de vos amis. À moins que quelqu'un ne vous exploite pour y arriver, vous avez intérêt à avoir des amis qui réussissent. Personne n'a avantage à s'associer à des perdants!)

Ma curiosité m'a poussée à l'interroger sur ses capacités. Je suppose qu'en réalité je voulais savoir si elle était plus brillante que moi. Elle admit que sa moyenne était à peine acceptable au collège. Elle avait tout juste complété ses études. Quant à moi, j'avais toujours été fière de mes excellentes notes; je savais donc qu'elle n'était pas plus intelligente que moi, du moins sur le plan scolaire.

J'étais toujours curieuse. Je ne connaissais rien à l'astrologie mais je me demandais si elle était née sous un signe chanceux — et j'ai découvert que nous étions nées le même jour! En voilà assez pour le hasard auquel je n'ai jamais cru de toute façon. Tout ce que je sais maintenant, c'est que plus nous travaillons plus nous sommes chanceuses.

Bon, je savais qu'elle travaillait fort ; moi aussi après tout. Quelle était la raison de notre différence de productivité? Lorsque je lui ai finalement demandé le secret de son succès, j'ai découvert qu'elle avait appris à conduire son cheval dans la direction où il va. Ce n'est pas ce qu'elle a dit textuellement mais c'est ainsi que j'ai interprété son explication. Soyons claire.

Elle avait décidé d'évaluer ce dont elle était capable et de miser sur ses capacités. Elle concentra ses efforts dans une direction. Elle se spécialisa dans une activité et la rendit rentable. Ensuite, elle décida de suivre le cours du docteur Charles Hobb, spécialiste en organisation du temps. Ce dernier lui apprit comment concentrer son énergie et son pouvoir, et comment établir ses priorités.

Juste à temps

J'ai immédiatement considéré l'organisation du temps comme l'ingrédient nécessaire à mon propre succès. Depuis des années, je dépensais beaucoup d'énergie sans jamais vraiment réussir. J'ai donc décidé d'utiliser tous les moyens susceptibles d'améliorer l'organisation de mon temps. J'ai commencé par suivre le cours du docteur Hobb, puis j'ai dressé une liste de trente-huit rêves ou objectifs. Au début de la liste, j'avais noté que je voulais devenir le numéro un dans le domaine de l'organisation du temps. Afin d'y arriver, j'ai décidé que chaque jour, je ferais quelque chose dans le but d'améliorer mes capacités d'organiser efficacement le temps. Écrire ce livre et partager mon apprentissage avec vous constitue la réalisation de cet objectif.

Êtes-vous bien motivée
à tirer le meilleur de vous-même?

Pendant quelques instants, réfléchissez et posez-vous les questions suivantes:
1. Croyez-vous vraiment que vous méritez d'obtenir ce que vous voulez de la vie?
2. Faites-vous en sorte de libérer ce génie unique qui se trouve en vous, de libérer tous ces dons et talents qui peuvent enrichir votre vie et celle des autres?
3. Méritez-vous d'être heureuse?
4. Considérez-vous que vous êtes aussi valable et digne d'être aimée que toute autre?
5. Vous mesurez-vous constamment aux autres, ou voyez-vous en chaque personne un être différent et unique, essayant de se réaliser avec les autres?
6. Si vous saviez que vous ne pouvez pas échouer, comment choisiriez-vous de gagner votre vie?

Comme vous le découvrirez en lisant ce livre, l'organisation du temps est une des clés les plus importantes de votre succès. *Mais ce n'est qu'une clé.* Avant de vous en servir, vous devez être motivée; et avant cela, vous devez découvrir quelle personne fantastique et merveilleuse vous êtes vraiment.

Évaluer votre amour-propre

L'estime de soi est une émotion. C'est la façon qu'a une personne de percevoir sa propre valeur, son importance. Elle est fonction de notre prise de conscience individuelle et inclut tout ce que nous percevons à travers nos cinq sens et notre intuition. C'est le résultat de notre conditionnement global, de nos expériences de vie, de notre intelligence innée, de nos perceptions, besoins, réactions émotives et de toutes les décisions que nous prenons. Malheureusement, plusieurs ont des expériences de vie qui limitent ou distorsionnent leur prise de conscience. Examinons certains facteurs.

Vos parents

Nous devrions toujours être reconnaissants à nos parents du cadeau de la vie elle-même et de tous ces éléments positifs que notre héritage nous a légués. Nous devrions aussi leur être reconnaissants des nombreux sacrifices qu'ils nous ont consentis. Mais nous devons aussi être conscients qu'une malédiction peut faire partie de cet héritage: le manque d'estime de soi. Malheureusement, un grand pourcentage de notre population souffre de ce mal. Vous devez vous rendre compte que si vos parents vous ont de quelque façon transmis l'idée que vous n'étiez pas aussi bons ou aimables que les autres, ils ont eu tort, absolument et complètement tort! Souvent les messages que nous recevons nous arrivent de façon si subtile et de tant de sources qu'il nous devient difficile de ne pas y croire. Mais la réalité c'est que vous êtes merveilleuse. Vous êtes unique. Il n'y a personne de plus méritant que vous!

Les autres

Il est triste que de nombreuses personnes grandissent, se marient — ou ne se marient pas — entourées de gens qui leur donnent des messages négatifs: "Tu n'es pas correct". Certains sont mariés à des personnes qui leur transmettent ces messages, certains ont des amis qui véhiculent de tels messages et certains sont emprisonnés dans des emplois où ils vivent un bombardement constant de: "Tu n'es pas correct". Malheureusement, plusieurs parmi nous "achetons" ces messages.

En fait, lorsqu'une personne vous transmet un message négatif, elle vous présente un miroir déformant. Vous devez alors vous regarder dans un autre miroir, le miroir qui est en vous-même. C'est le seul qui puisse vous montrer vos propres qualités, et c'est seulement lorsque vous vous y regardez que vous pouvez commencer à vous aimer.

Une de mes proches parentes a souffert d'une faible estime d'elle-même toute sa vie parce que ses notes à l'école étaient comparées à celles de ses amies du voisinage qui réussissaient mieux qu'elle. C'était injuste qu'elle ait à entrer en compétition avec d'autres plutôt qu'avec elle-même. Elle était intimidée par les bonnes notes des autres et elle croyait alors qu'elle méritait d'être méprisée. Cette femme est une des meilleures, des plus généreuses, des plus sensibles et des plus aimables que je connaisse, mais elle ne veut pas reconnaître ses qualités. Elle préfère demeurer dans un climat mental d'infériorité.

Délais et manque d'autodiscipline

Prendre des décisions inadéquates peut porter atteinte à l'estime que nous avons de nous-même. De façon régulière, nous choisissons le chemin du pire pour nous-même ou le chemin du moindre effort au lieu de faire ce qui nous rendrait heureuse et nous apporterait le succès.

J'aimerais que vous vous imaginiez sur un chemin. Vous marchez sur ce merveilleux sentier et vous arrivez soudain à une fourche. Vous devez choisir entre deux directions. Vous ne pouvez pas rester là et vous ne pouvez pas éviter le choix. Maintenant, pensez à cette fourche comme à une tentation possible: vous êtes au régime et on vous offre un morceau de tarte. Si vous ne vous en tenez pas à votre détermination, cette tentation peut causer votre perte. Ce serait si facile de prendre l'autre voie. Vous avez pris cette décision tellement souvent dans le passé. Mais le problème, c'est qu'une fois que vous êtes sur ce chemin il est assez difficile d'en sortir. La seule chose qu'il offre, c'est le malheur, mais nous faisons toujours ce genre de choix. Chaque fois que nous faisons un tel choix, l'estime de soi s'en trouve diminuée. C'est uniquement en faisant de façon conséquente le choix qui sera le meilleur pour nous que nous pouvons l'augmenter et le maintenir.

Défaites et échecs répétés

Tout le monde connaît un échec de temps en temps et certains échouent la plupart du temps. Notre façon de réagir aux échecs peut affecter gravement l'estime de soi. Notre réaction est grandement déterminée par la valeur que nous accordons à l'objet de cet échec. Si le sens qu'un homme a de sa propre valeur repose sur sa capacité de conserver son emploi, la perte de cet emploi peut avoir un effet complètement destructeur sur sa confiance en lui-même. Ou si une femme fonde sa valeur sur sa capacité d'aimer et d'être aimée d'un homme et si cet homme choisit de ne plus l'aimer, elle peut se sentir profondément diminuée par cet événement.

Nous devons apprendre à nous dissocier de nos échecs, et ce n'est pas facile, surtout si gagner et réussir est important pour nous. Mais puisque personne n'est parfait, il nous arrive à tous d'échouer parfois. Si nous choisissons d'inclure ces échecs dans notre apprentissage, nous en profiterons au bout du compte et nous connaîtrons le succès dans nos tentatives; mais si nous choisissons de nous blâmer sans arrêt, l'estime que nous nous portons diminuera de telle sorte qu'il nous sera presque impossible d'être heureuse et de réussir.

"Construire" l'estime de soi

Heureusement, le manque d'estime de soi n'est pas nécessairement irrémédiable. Nous pouvons redécouvrir cette étincelle unique à l'intérieur de chacune de nous, commencer à la percevoir et la traduire en actes. À mesure que nous le faisons, notre estime augmente, et il en va de même de notre bonheur, de notre motivation et de notre productivité.

Maintenant, je puis dire sans tricher que je me sens très bien dans ma peau, mais ça n'a pas toujours été le cas. Je me rappelle encore combien j'enviais une petite fille de ma classe à l'école. Elle semblait tout avoir: elle était belle, populaire, pleine de talents, et surtout elle suivait des cours de danse! Je me souviens de ma jalousie lors de cette "semaine des loisirs" où elle exhiba ses souliers et ses costumes de ballet.

Aujourd'hui, nous sommes de très bonnes amies. Elle est toujours exceptionnelle et unique à tous points de vue, mais je ne me sens plus inférieure. Je me sens très digne de notre amitié parce que maintenant je constate que je possède mes propres dons et capacités.

Comment vous sentez ce que vous sentez

Puisque l'estime que nous avons de nous-même est un sentiment plutôt qu'une évaluation rationnelle de notre valeur, il est important de savoir comment nous déclenchons ce sentiment. Vous trouverez à la page 213 de la section pratique un espace intitulé: "Comment je sens ce que je sens". Pendant la prochaine semaine, notez chaque fois où vous vous sentez inférieure ou "moins bien que..." et les circonstances qui provoquent ce sentiment.

Laissez-moi vous donner un exemple. Une de mes amies a récemment rompu avec un homme qu'elle aimait tendrement et qu'elle espérait épouser. La rupture fut assez difficile, mais ce fut encore pire de faire face à sa remplaçante. Cette remplaçante était une jolie blonde qui avait été adulée dans sa famille et au collège. Mon amie me disait qu'elle avait des souvenirs vivaces de la beauté et de la popularité de cette fille à l'université, mais aussitôt après cet aveu elle se sentit intimidée et vaincue.

Admettons qu'il peut être assez dur de faire face à une remplaçante réputée pour sa grande beauté et qui a récolté tous les honneurs. Mais c'est là encore une question d'estime de soi. Mon amie aurait pu être aussi populaire au collège si elle avait eu confiance en elle-même. En fait, elle avait alors toutes les qualités nécessaires pour obtenir les mêmes honneurs, de même que pour avoir tout ce qu'elle peut bien vouloir maintenant.

Surmonter votre habitude de remettre à plus tard

Chaque fois que vous remettez quelque chose à plus tard, que vous évitez de faire quelque chose que vous devriez faire maintenant, vous réduisez votre propre estime. À la page 214 de la section pratique, vous pouvez établir une liste de tout ce que vous avez remis à plus tard. Il peut s'agir de petites choses ou de choses importantes, mais quelles qu'elles soient, inscrivez-les. Je vous mets au défi de commencer à travailler sur cette liste aujourd'hui même. Rappelez-vous l'énoncé: "Si ce n'est pas maintenant, quand? Si ce n'est pas moi, qui ?" Je vous garantis qu'à mesure que vous vous attaquerez aux éléments de cette liste, votre propre estime augmentera.

Surmonter votre culpabilité, pardonner et supprimer vos sentiments négatifs

Se sentir coupable est une perte de temps absolue à moins de pouvoir faire quelque chose pour changer la situation. Si vous avez été malhonnête, vous devriez vous sentir coupable parce que cette culpabilité vous motivera à rechercher le pardon. Mais si vous vous sentez coupable à propos d'une situation passée — si en fait il n'y a rien à faire maintenant pour changer la situation — vous devez cesser de vous sentir mal et tenter de dépasser cette situation. La même chose s'applique pour ce qui est de pardonner aux autres. Combien de temps et d'énergie gaspillez-vous en n'arrivant pas à pardonner et à oublier? À la page 215 de la section pratique, vous trouverez trois éléments: "La culpabilité que je ressens à propos de situations qui ne peuvent pas être changées", "La culpabilité que je ressens à cause de fautes que je ne suis pas arrivée à corriger", et "Les personnes contre lesquelles je suis en colère ou à cause desquelles je me sens lésée ou blessée". Dans la première section, inscrivez tout ce que vous trouvez, sortez tout ça de votre système et faites tout votre possible pour oublier. Par-dessus tout, cessez de vous blâmer! Dans la deuxième section, commencez à agir. Si vous avez besoin de vous excuser, faites-le. Si vous avez besoin de corriger une erreur, corrigez-la. Si vous avez besoin de demander pardon au Seigneur, demandez pardon. Ne laissez rien derrière vous; ça diminuerait votre énergie, votre enthousiasme et vos bons sentiments à votre égard. Dans la troisième section, je veux que vous pensiez sérieusement aux façons d'éliminer l'agressivité et d'oublier la peine que vous pourriez ressentir à cause des autres. Imaginez comment vous vous sentiriez si vous étiez à la place de ces personnes. Comment voudriez-vous qu'on vous traite? Il n'est pas toujours facile de pardonner à quelqu'un du jour au lendemain, mais vous pouvez découvrir la voie pour y arriver. À mesure que vous avancerez, vous sentirez croître votre propre estime.

La représentation

Géraldine, personnage d'une émission télévisée populaire disait: "Ce que vous vous imaginez, c'est ça que vous obtenez." Géraldine ne soupçonnait pas l'importance de ce qu'elle disait. Tout ce que nous sommes ou ne sommes pas en ce moment est le résultat de notre pensée, consciente ou inconsciente. C'est de cette façon que nous bâtissons notre estime. Si nous désirons l'élever, nous devons changer l'image que nous nous faisons de nous-même. Nous pouvons y arriver grâce à notre faculté de représentation.

Quatre-vingt-dix pour cent des gens pensent en images. Si vous doutez de votre capacité de représentation, faites ce simple test: pensez à une belle rose. Imaginez sa couleur et sa texture, et même son parfum. Si vous pouvez voir cette rose dans votre esprit sans aller en regarder une au jardin, vous êtes capable de représentation.

On dit aussi que quatre-vingt-quinze pour cent de nos actions et réactions sont motivées inconsciemment. En d'autres termes, la majeure partie de ce que nous faisons quotidiennement est le résultat d'une pensée antérieure. La majeure partie de cette "programmation" se réalise durant notre enfance. En fait, certains pédagogues et spécialistes des sciences sociales estiment que, dans les premières années de sa vie, un enfant apprend chaque jour vingt-cinq fois plus de choses qu'un adulte. C'est pourquoi il est d'une telle importance de "programmer" nos enfants en leur fournissant des images positives d'eux-mêmes.

Mon amie Dolly Parton (qui a épousé un de mes vieux copains de collège) a commencé à "se programmer" très tôt dans sa recherche du succès. Lorsqu'elle n'avait que sept ans, alors quatrième d'une famille de douze enfants, elle a décidé qu'elle serait une vedette, "la plus grande étoile du monde". Elle rêvait de beaux vêtements, d'être l'objet d'attention des autres et elle voulait aussi acheter des tas de choses à papa et à maman. Elle admet avoir connu des difficultés et des déceptions mais elle ne les a jamais laissées bloquer sa vision de l'avenir.

Si vous voulez avoir une perception différente de vous-même, si vous voulez paraître et agir différemment, vous devez commencer à vous faire une nouvelle représentation de vous-même. L'Ancien Testament nous enseigne que: "L'homme est ce qu'il pense de lui-même en son for intérieur." (Proverbes, 23:7)

Un des meilleurs exemples de la façon dont une représentation positive peut agir pour changer la réalité nous vient du docteur

Carl Simonton qui a utilisé avec succès cette méthode pour faciliter la guérison de patients atteints d'un cancer. Le docteur Simonton et son personnel amenaient ces patients animés d'un grand désir de vivre à se représenter une force en eux capable de débarrasser leur corps des "mauvaises" cellules cancéreuses. Il laissait le patient choisir le type de force qu'il voulait. Certains se représentaient des remèdes ou des produits chimiques dissolvant leurs cellules cancéreuses. D'autres choisissaient des animaux comme des chiens ou des piranhas qui mangeaient ce qui rendait leur système malade. Ce sont des représentations, mais elles fonctionnent. Le corps se guérit souvent ainsi par lui-même.

La course au trésor

La représentation est plus efficace si on fait appel à tous les sens. Cette méthode est souvent appelée: "la course au trésor". Vous commencez le processus en cherchant dans des magazines ou ailleurs des images illustrant en détail et de façon vivante ce à quoi vous voulez ressembler, comment vous désirez vous sentir ou ce que vous souhaitez accomplir. Ensuite, vous prenez des mesures pour stimuler tous vos autres sens dans le même but. Par exemple, si vous voulez une nouvelle voiture sport, je vous suggère d'aller chez un concessionnaire pour avoir l'image précise de la voiture que vous aimeriez posséder. En allant visiter la salle de montre, demandez de faire un essai. En vous assoyant dans la voiture, touchez la cuirette, sentez cette odeur de neuf et rappelez-vous ce que vous ressentez en vous imaginant la conduire. Représentez-vous chaque jour conduisant cette voiture, puis en train de gagner l'argent pour l'acheter.

Où vous installer

Chacun a besoin d'un endroit où il peut penser sans être interrompu, pour évoquer, méditer, prier et planifier. Je veux que vous vous trouviez un endroit propice. Certaines de mes amies sont capables d'entrer en méditation en faisant leur jogging. Moi, c'est la salle de bain. Je peux m'y enfermer, m'asseoir sur le plancher et établir mes projets pour la journée. Je peux aussi revoir l'ensemble de mes objectifs, me détendre, fermer les yeux et me représenter ce que j'essaie d'accomplir. Je me sers de cette méthode de représentation et j'y crois à cent pour cent. C'est une des meilleures façons que je connaisse d'augmenter le niveau de conscience et d'estime de soi.

Les affirmations

Nous parlons toutes de nous-même chaque jour. L'important c'est de devenir consciente de ce discours intérieur et de le programmer pour augmenter notre estime et stimuler notre désir d'obtenir plus de succès. Nous pouvons y arriver par des affirmations. Voici comment cela fonctionne.

À la page 216, vous trouverez un endroit pour inscrire des énoncés positifs centrés sur le présent, tels: "Je commence par le commencement" ou "Je me sens fantastiquement heureuse d'être en vie aujourd'hui!" Après avoir répété l'énoncé, prenez une profonde respiration, représentez-vous en train de faire de cette affirmation une réalité, puis faites-le. Non pas demain ou la semaine prochaine ou même dans une heure. À l'instant même. Les affirmations ne sont efficaces que si elles entraînent une action positive. Elles agissent mieux lorsque l'action suit immédiatement l'énoncé.

En dehors de l'écriture de vos énoncés sur des fiches, il existe aussi des magazines, des livres et des émissions où l'on vous propose un énoncé pour chaque jour du mois. Lus et mis en pratique, ces énoncés peuvent avoir un effet bénéfique, même sur l'inconscient.

Il n'en tient qu'à vous

Lorsque j'étais en troisième année, je me souviens avoir essayé de gagner une bicyclette offerte comme premier prix d'un concours organisé par une pharmacie du quartier. J'ai essayé, mais quelqu'un d'autre a essayé un peu plus fort! Je n'ai pas obtenu le premier prix mais le second, et c'était une machine à coudre inutile, un jouet.

Pendant des années je me suis fait des reproches non pas parce que j'avais été trop paresseuse pour faire l'effort de gagner, mais parce que j'avais finalement eu une bicyclette usagée; c'était tout ce que mes parents pouvaient se permettre.

Ce n'est que récemment que j'ai constaté combien mes parents avaient été sages. S'ils avaient voulu me consoler en m'offrant une bicyclette neuve, je n'aurais jamais appris cette grande leçon: on a ce qu'on mérite. J'avais fait en sorte d'obtenir cette machine à coudre jouet au lieu d'une nouvelle bicyclette. Je ne fais plus jamais cette erreur. Je veux tirer le meilleur de l'existence et j'ai l'intention de payer le prix nécessaire pour en jouir. Rappelez-vous que vous devez payer un prix pour tout ce que vous recevez. Je vous offre la même occasion. Vous méritez aussi ce qu'il y a de mieux!

2

Le succès
Être quelqu'un,
pas seulement quelque chose

"Le seul véritable échec est de ne pas être fidèle à ce que nous croyons au plus profond de nous-même."
Cannon Farrar

Avez-vous l'impression d'être une gagnante? Êtes-vous heureuse de votre façon actuelle de passer votre temps? Pensez-y. Tirez-vous vraiment tout ce que vous voulez de la vie? Atteignez-vous vos objectifs? Accordez-vous votre temps à vos priorités ou le gaspillez-vous en banalités? Savez-vous même ce qu'il vous faut pour vous sentir heureuse?

Emerson disait: "La plus grande chance d'un homme, c'est de s'engager dans une voie qui lui apporte non seulement du travail mais du bonheur, que ce soit pour faire des paniers, des grandes épées, des canaux, des statues ou des chansons."

Je suis d'accord avec Emerson. Il y a une relation directe entre notre bonheur et la façon dont nous choisissons d'occuper notre temps. Dans ce chapitre, nous examinerons en profondeur votre façon actuelle d'utiliser votre temps et nous déterminerons ce qu'il vous faut pour vous rendre heureuse et satisfaite de votre vie.

Où va votre temps?

Je vais maintenant vous imposer une tâche difficile parce qu'elle exige beaucoup d'autodiscipline, mais c'est vraiment la seule façon d'évaluer votre emploi du temps et le degré de satisfaction qui en résulte.

Au cours de la semaine, je veux que vous examiniez le déroulement des événements et votre comportement sous cinq angles différents:

1. Actions

Inscrivez tout ce que vous faites de votre temps. Notez toutes vos activités le plus précisément possible, aux heures ou aux demi-heures.

2. Temps requis

À mesure que vous complétez chaque petite tâche ou chaque grand projet, indiquez combien de temps vous avez consacré à cette activité. Par exemple, est-ce qu'il vous a fallu quinze minutes ou une demi-heure pour nettoyer le four? Combien de temps avez-vous mis à la préparation de ce rapport pour votre patron ou à la confection des menus de la semaine? Vous pouvez vous servir d'un chronomètre pour plus de précision.

3. But ou objectif

Avant de commencer chaque activité, indiquez le but que vous poursuivez. Par exemple, pourquoi téléphonez-vous à une amie à dix-sept heures? Que désirez-vous accomplir? Voulez-vous lui transmettre un renseignement ou lui faire savoir que vous avez pensé à elle? Peut-être savez-vous qu'elle est déprimée et voulez-vous l'encourager. Ou peut-être faites-vous cet appel simplement pour éviter d'entreprendre une tâche plus importante mais plus difficile.

4. Résultats

Critiquez votre travail ou votre activité. Avez-vous accompli ce que vous aviez prévu? Êtes-vous contente des résultats? Auriez-vous pu faire mieux? Combien de temps cela vous a-t-il pris? Les résultats en valaient-ils la peine? En avez-vous retiré quelque récompense?

5. Réponse émotive

C'est probablement l'aspect le plus important. Décrivez comment vous vous sentiez par rapport à chaque activité. Avez-vous aimé votre façon de passer votre temps ou l'avez-vous détestée? Avez-vous subi des interruptions? Vous était-il facile d'être totalement absorbée par votre travail ou votre esprit errait-il à l'aventure? Si vous aviez disposé de votre temps à cet instant précis, auriez-vous choisi une autre activité?

Inscrivez vos découvertes dans un carnet pendant une semaine. À la fin de la semaine, servez-vous des questions suivantes pour évaluer vos activités:

1. Quelles ont été vos réalisations les plus importantes?

Qu'avez-vous accompli durant la semaine? Êtes-vous satisfaite de votre productivité? Si vous êtes mécontente de votre performance, examinez-en les raisons. Certains éléments auraient-ils pu facilement être changés?

2. Combien d'activités vous ont été agréables?

Durant la semaine, combien de fois avez-vous écrit: "J'ai aimé ce que je faisais. J'ai éprouvé le sens du devoir accompli. Même quand c'était dur, j'étais contente d'y arriver"?

Une manière certaine de déterminer le plaisir que vous avez pris à une tâche est d'analyser votre degré d'implication personnelle. Récemment, je lisais les propos d'un écrivain qui expliquait pouvoir passer de longues heures complètement absorbé par son travail. Il perdait toute notion de ce qui se passait autour de lui grâce à son profond enthousiasme pour son projet. J'ai entendu parler d'expériences semblables chez des athlètes professionnels et des musiciens, mais vous n'avez pas besoin d'être une artiste ou une athlète pour vivre ce type d'expérience. Je connais un homme qui est un vendeur émérite. Il croit en son produit et il prend un réel plaisir à en parler aux gens. Il atteint un véritable sommet lorsqu'il prépare une vente ou qu'il conclut un marché. Une de mes amies est devenue mannequin parce que c'était la seule chose, disait-elle, qui l'absorbait mentalement. Être devant la caméra et travailler avec un photographe, c'était pour elle une expérience totalement captivante.

3. Étiez-vous souvent contrariée ou malheureuse?

En regardant le journal de bord de votre emploi du temps, trouvez-vous beaucoup d'inscriptions comme: "Je déteste ce que je fais", "Je suis complètement insatisfaite", "Je travaille mais je rêve de quelque chose d'autre", "Je me sens mal à l'aise dans cette situation"?

Bien sûr, personne ne peut se maintenir au sommet vingt-quatre heures par jour, mais si vous vous trouvez impliquée dans un travail ou des tâches qui vous vident continuellement et ne vous procurent aucune satisfaction, vous perdez probablement votre temps à faire les mauvaises choses.

4. Si vous continuez comme la semaine dernière, où en serez-vous dans cinq ans?

Si vous continuez dans le même emploi, dans les mêmes activités, les mêmes habitudes et les mêmes réalisations, où en serez-vous dans cinq ans, physiquement, économiquement, socialement, émotivement et spirituellement? Et, ce qui importe encore plus, serez-vous satisfaite de votre sort?

Planifier

Greg Daneke, consultant très respecté en ressources humaines auprès de la grande entreprise et du gouvernement, expliquait: "Planifier, ce n'est pas prédire l'avenir; c'est plutôt créer l'avenir." C'est pourquoi l'organisation du temps est tellement importante: il s'agit de planifier votre emploi du temps de sorte qu'il vous apporte la plus grande satisfaction et un profit personnel.

Il y a de nombreuses façons de déterminer ce dont vous avez besoin pour être heureuse et réussir dans la vie. Vous pouvez passer un test d'aptitude ou consulter un conseiller en orientation, mais ça peut parfois vous induire en erreur. Dans mes ateliers sur l'organisation du temps, j'ai mis sur pied une série d'exercices visant à organiser votre temps plus efficacement. Après avoir complété ces sept exercices, plusieurs clients ont connu des changements de carrière et éliminé la perte de temps ou les activités improductives. D'autres ont suivi ces étapes afin de passer plus de temps avec leur conjoint et leurs enfants. D'autres encore ont pris des risques uniques. Ils sont partis à l'aventure, expérimentant la vie dans des voies nouvelles et différentes, étendant leur cercle d'amis. Dans l'ensemble, ils deviennent plus heureux et plus accomplis. Je garantis que les mêmes résultats positifs peuvent survenir dans votre vie.

Exercice 1: *vos activités préférées*

Je suis souvent étonnée de constater que si peu de gens prennent le temps de penser aux activités qui leur apportent le plus de plaisir et de satisfaction.

Récemment, un homme heureux et accompli faisait la recommandation suivante à un groupe d'étudiants: "Si je peux vous donner un simple conseil, c'est de trouver une façon de faire de l'argent en faisant les choses que vous aimez le plus dans la vie. Chaque jour sera alors comme un jour de congé. Mais si vous vous contentez de deux semaines de vacances par année, vous serez malheureux."

À la page 217 de la section pratique, vous trouverez un espace où dresser la liste de vos vingt activités préférées. Après avoir terminé cet exercice, analysez vos trouvailles. Est-ce que certains éléments vous surprennent? Est-ce qu'un ou plusieurs éléments sont reliés à votre emploi actuel ou à vos activités? Y a-t-il des éléments qui pourraient faire l'objet d'une carrière fructueuse?

Une maîtresse de maison qui avait complété cet exercice avait placé la lecture au premier rang de ses activités préférées. Elle espérait depuis longtemps trouver un moyen de se faire un revenu supplémentaire. Elle travaille maintenant à la bibliothèque municipale où elle fait la lecture trois fois par semaine et elle a aussi ouvert sa propre bibliothèque à partir de ses propres livres à l'intention d'amis et de voisins. Elle demande un tarif minime pour chaque livre prêté et elle utilise cet argent pour acheter de nouveaux livres. Elle prend aussi des cours de littérature à l'université dans l'espoir de terminer sa maîtrise d'ici cinq ans. Bien que son revenu additionnel soit minime actuellement, elle peut se payer les nombreux livres qu'elle désire et elle lit plus que jamais. Elle espère devenir plus tard professeur de littérature.

Un professeur avait placé les voyages à l'étranger au sommet de sa liste. Comme il est libre pendant l'été, il se prépare maintenant à travailler comme guide touristique pour une agence de voyages.

Exercice 2: la liste de vos rêves

J'espère que vous aimez ce genre de devoir autant que moi. Enlevez vos chaussures, installez-vous dans votre fauteuil, fermez les yeux et laissez-vous aller. Pensez à tout ce que vous aimeriez voir, faire ou devenir. Vous voyez-vous faisant une croisière aux Caraïbes, livrant une bataille politique, bâtissant la maison de vos rêves ou gagnant un premier prix en pâtisserie? Peut-être aimeriez-vous écrire un best-seller ou être la vedette d'un film.

Prenez au moins dix minutes pour rêver ainsi, puis tournez la page xxx de la section pratique et inscrivez-y vos idées.

John Goddard est un homme qui m'a servi d'exemple et qui a beaucoup influencé ma vie. À quinze ans, il savait ce qu'il voulait faire pour le reste de sa vie: il voulait réaliser ses rêves: il en avait précisément 127! Entre autres, il voulait explorer le Nil, chevaucher une autruche, lire la Bible de la première à la dernière page et écrire un article dans la revue *National Geographic*. Il s'était aussi fixé l'objectif de faire 200 redressements et 20 flexions chaque jour.

Le magazine *People* rapporte que vers l'âge de 52 ans, monsieur Goddard avait réalisé 105 de ses rêves et qu'il était en voie de réaliser les autres. Son succès m'a incitée à dresser ma propre liste et j'ai commencé à y travailler immédiatement. À ce jour, j'ai réalisé 37 de ces rêves, y compris bâtir ma maison, écrire trois best-sellers, tripler mon revenu et avoir deux enfants malgré le fait qu'on m'avait dit que je ne pourrais jamais en avoir. Ce livre est le numéro 38 sur ma liste. Lorsqu'il sera terminé, j'ai encore une foule de rêves à accomplir.

Le fait de dresser une liste de rêves a eu un effet profond sur ma vie. Ce fut aussi le cas pour certains des participants à mes ateliers de travail.

Une jeune femme qui assistait à mes ateliers il y a quelques années se sentait terriblement frustrée. Elle avait terminé ses études, espérait se marier et élever une famille. Entre-temps elle occupait un emploi de secrétaire. Malheureusement, il semble que ses patrons se débrouillaient mieux sans elle qu'avec elle. En fait, elle venait tout juste de perdre son dixième emploi en deux ans quand je l'ai rencontrée.

Lorsque nous avons examiné sa liste de rêves, nous avons découvert qu'aucun n'était relié à son travail de secrétaire. Elle désirait autre chose. Elle rêvait d'écrire des articles intéressants et d'interviewer des célébrités. Ce soir-là, en rentrant chez elle, elle écrivit au directeur d'une importante revue pour lui demander une entrevue. Elle lui disait qu'elle avait un charme suffisant pour compenser son inexpérience. Le directeur de la revue lui accorda cette entrevue. Elle réussit à "vendre" efficacement son projet et elle put alors suivre "son" chemin vers le succès.

Une autre femme s'inscrivit à mon atelier le lendemain de la signature de son divorce. Il y avait sur sa liste de rêves son projet de nouvelle maison, le désir d'avoir sa propre entreprise et celui de devenir une pianiste de talent. En poursuivant ses objectifs, elle reprit goût à la vie, rencontra un homme merveilleux avec lequel elle partage maintenant ses rêves et son bonheur.

Naturellement, le simple fait de dresser une liste de rêves n'en assure pas la réalisation, mais c'est un point de départ. Avant de pouvoir créer, vous devez avoir une idée. Plus vos rêves sont précis, plus vous avez de chances de les voir se concrétiser.

Dans une interview qu'il m'a accordée, le docteur Maxwell Maltz, auteur du best-seller *Psycho-Cybernetics*, (Englewood Cliffs, N.J., Prentice-Hall, 1960) expliquait que lorsque nous rêvons, nous utilisons l'hémisphère droit de notre cerveau. La recherche indique que l'usage de l'hémisphère droit du cerveau diffère quelque peu chez l'homme de chez la femme. Les fonctions mentales ne sont pas organisées tout à fait de la même façon. Les hommes semblent avoir davantage de latéralité, ce qui signifie que leurs fonctions mentales sont contrôlées séparément par les deux hémisphères. Par contre, les femmes utilisent davantage l'hémisphère droit de leur cerveau ou les deux simultanément. L'hémisphère droit est le siège de la créativité, de l'intuition. (Serait-ce une explication scientifique de cette "intuition féminine" si justement réputée?) Burt Reynolds a déclaré que sa carrière a pris un nouvel essor lorsqu'il a appris à se servir davantage du côté droit de son cerveau. Cela l'a aidé à devenir plus créatif.

Exercice 3: *reconnaître vos besoins*

Nous avons tous des besoins. Les projets inscrits sur votre liste de rêves représentent sans aucun doute plusieurs de ces besoins. Peut-être le désir d'aller faire un safari en Afrique correspond-il à un besoin de voyage et d'aventure. Le rêve de devenir un animateur à succès satisfait peut-être votre recherche de prestige et de popularité. Les études ont montré que la plupart des athlètes de réputation mondiale ont un profond besoin d'être célèbres dans quelque chose. Ils ont aussi besoin de vivre beaucoup de compétition.

Heureusement, la plupart des besoins peuvent être satisfaits par toutes sortes d'activités. Par exemple, considérez les nombreuses façons d'enrichir votre vie d'une nouvelle expérience, surtout si votre travail est ennuyeux. Que pouvez-vous faire pour vraiment vous sentir mieux? Je suis trop consciente de la nécessité de survivre pour conseiller à quelqu'un de quitter un emploi avant d'en trouver un meilleur. Cependant, beaucoup de personnes retirent beaucoup de satisfaction en dehors de leur occupation professionnelle, réussissant ainsi à équilibrer leur vie. Les choix sont pratiquement illimités. Vous pouvez vous inscrire à un cours de danse du ventre ou de karaté, faire du parachutisme, apprendre la mécanique automobile ou même préparer une nouvelle carrière. Vous pouvez essayer quelques recettes nouvelles, redécorer votre maison, prendre un cours de survie dans la jungle ou faire une promenade en ballon.

J'ai récemment rencontré une femme qui avait passé la majeure partie de sa vie dans un milieu universitaire. Elle avait terminé une maîtrise et songeait à entreprendre un doctorat. Après s'être interrogée sur ses besoins, elle a réalisé qu'elle en avait négligé certains. Elle souhaitait devenir plus créative. Pour y arriver, elle décida d'apprendre la décoration florale et de suivre des cours pour devenir esthéticienne.

J'ai conçu un questionnaire (pages 219 à 221 de votre section pratique) pour vous aider à prendre conscience de vos besoins et désirs les plus vitaux. Attribuez à chaque énoncé une valeur numérique de 1 à 5, 5 pour les désirs les plus importants, 1 pour les moins importants. Après avoir complété l'exercice, revenez en arrière et inscrivez un astérisque vis-à-vis des besoins les plus importants qui ne sont pas comblés.

Exercice 4: la journée parfaite

Suzanne, une mère de deux enfants très occupée, écrivait: "Une journée parfaite! Je me réveille sans réveille-matin et je prends tout le temps nécessaire pour me préparer. Mon mari et moi sommes dans un bel hôtel élégant. Nous prenons le petit déjeuner dans la chambre. Je passe toute la journée avec mon mari, à me faire gâter. Nous allons faire du shopping et j'achète des douzaines de belles robes. Le soir, nous allons au ballet, puis nous sortons dîner et danser dans un restaurant romantique. Au cours de cette journée parfaite, je reçois aussi les soins d'un manucure, d'un pédicure et d'un masseur. Tout au long de l'expérience, je ne me sens jamais pressée ou bousculée."

Concevoir une journée parfaite, c'est une autre façon unique et merveilleuse de voir se révéler nos besoins les plus profonds. Par exemple, Suzanne constata qu'elle avait besoin de passer plus de temps à s'occuper d'elle-même sans être constamment interrompue. Elle avait aussi besoin de ne pas se sentir pressée. Elle expliquait: "Le matin, je me sens comme un robot, me précipitant pour être prête, aidant les enfants à s'habiller, préparant le petit déjeuner et conduisant toute la marmaille du voisinage à l'école."

Barbara Sher, auteur de *Wishcraft* (New York, Viking Press, 1979), propose de considérer trois éléments importants dans la conception de toute journée parfaite:

1. L'endroit

Dans quelle sorte d'environnement vous imaginez-vous? Une maison sur la plage, un refuge en montagne, un bureau bourdonnant d'activité, un atelier bien équipé ou "la maison de vos rêves"? Peut-être aimeriez-vous passer votre journée parfaite dans votre propre maison.

Vous pouvez même choisir de passer votre journée parfaite dans plusieurs endroits différents. Une femme avait décidé qu'elle passerait la matinée à travailler à un roman qu'elle écrivait, après quoi, à la fin de l'après-midi, elle s'envolerait vers une autre ville et passerait une nuit en dehors de chez elle. Une autre femme disait qu'elle aimerait vivre sa journée parfaite à la maison si seulement il y avait une grande pièce insonorisée où elle pourrait passer quelques heures en méditation tranquille sans être interrompue par ses enfants.

2. L'itinéraire

Quelles sont vos activités et les événements de cette journée? La passez-vous à faire ce que vous feriez normalement dans votre travail ou êtes-vous absorbée par des activités différentes? Une jeune vendeuse qui participait à l'atelier se voyait comme avocate défendant une importante cause. Une étudiante se voyait dessinatrice de mode dans son propre atelier avec des clients célèbres venant regarder ses modèles.

3. Les gens

Avec qui passez-vous cette journée? Combien de temps passez-vous seule et combien de temps avec d'autres? Vous voudrez probablement avoir avec vous des membres de votre famille ou des amis, mais vous pourriez aussi apprécier la présence d'autres personnes.

Ayez à l'esprit que vous devenez comme les gens dont vous vous entourez. Pour cette raison, il importe de vous choisir des amis positifs et stimulants, motivants, optimistes et encourageants. Une jeune maîtresse de maison disait qu'elle aimerait que ses enfants rencontrent des gens qui font les événements dans le monde. Pour sa journée parfaite, elle avait décidé d'inviter le Président et sa famille à participer à un pique-nique. Vous n'avez peut-être pas à l'esprit des individus précis, mais vous savez de quel genre de personnes vous aimeriez être entourée: des célébrités, des artistes, des athlètes, des gens appartenant à d'autres ethnies, etc.

Un des entraîneurs préférés de mon mari est Frank Kush, ancien entraîneur de football de l'équipe de l'université d'Arizona. J'avais remarqué l'intérêt avec lequel mon mari suivait les parties de cette équipe et l'admiration qu'il avait pour cet homme légendaire. Il s'indignait si quelqu'un faisait des commentaires négatifs sur ses choix de jeux et il aimait regarder Kush en entrevue. Un jour, le hasard a fait qu'il a pris le même avion que Kush. Bien qu'il n'ait pu lui parler, il a ressenti une profonde émotion.

En essayant de trouver le cadeau d'anniversaire de mon mari — après vingt ans de mariage, vous avez tendance à chercher des idées de cadeaux — j'ai pensé qu'une heure en compagnie de l'entraîneur Frank Kush constituerait pour lui un événement mémorable. Heureusement, Kush a accepté. Un soir, on a donc sonné à la porte et mon mari s'est retrouvé devant Frank Kush. Il s'est alors tourné vers moi il m'a chuchoté à l'oreille: "Il ressemble beaucoup à Frank Kush." Je lui ai alors dit que c'était là mon cadeau d'anniversaire: il avait trois heures pour parler football. Je pense que si vous demandez à mon mari quel a été son anniversaire préféré, il évoquera cette occasion spéciale, à cause de la personne présente.

À la page 221 de la section pratique, vous trouverez beaucoup d'espace pour concevoir votre journée parfaite. Après avoir complété cet exercice, analysez cette journée et voyez quels besoins ne sont pas comblés actuellement dans votre vie. Vous pouvez vouloir transformer ces besoins en objectifs. Pensez aussi aux gens que vous aimeriez connaître davantage. Rappelez-vous: nous attirons à nous les choses auxquelles nous pensons.

Exercice 5: vos objectifs
pour les cinq prochaines années

J'aimerais que vous vous donniez une poignée de main mentalement, car vous êtes en train de rencontrer cette personne que vous projetez d'être. Plus haut dans ce chapitre, nous avons parlé de l'importance de savoir où vous aimeriez être dans cinq ans. Comme le disait Daneke, il y a une différence entre prédire ("Si je continue comme je suis maintenant, cela arrivera") et planifier ("Voici où j'aimerais être"). Dans cet exercice, ne prédisez pas, *planifiez*.

Malheureusement, les statistiques révèlent que moins de cinq pour cent des gens planifient leur vie de façon à conquérir le succès. La majeure partie des individus vivent simplement leur vie au jour le jour sans véritable orientation. Au lieu de prendre l'initiative d'établir des buts et des objectifs, ils laissent quelqu'un d'autre le faire pour eux, leurs parents, leurs patrons, le gouvernement ou l'économie. Lorsqu'un individu élabore un véritable plan d'action et définit sa ligne de conduite, il peut réaliser des choses incroyables.

Lorsque j'étais travailleuse sociale en Floride, mon travail consistait à visiter les foyers de personnes indigentes pour déterminer leur éligibilité à une forme d'assistance. Par une journée particulièrement chaude, j'ai visité un homme âgé et j'étais assise près de lui sur le seuil de la maison de sa fille. Il était là en salopettes, fumant sa pipe de maïs, et il était songeur. C'était un ancien fermier qui au dire de tout le monde avait travaillé dur toute sa vie, mais jamais très intelligemment. N'ayant jamais contribué à un régime de retraite, il était maintenant démuni et obligé de vivre chez ses enfants. Je lui ai demandé s'il avait une idée, dès sa jeunesse, de l'endroit où il finirait ses jours. Il étudia ma question, regarda autour de lui et déclara: "Madame, je savais que je serais exactement là où je suis." J'ai alors réalisé notre *pouvoir* de nous projeter dans l'avenir.

Un jour, j'ai demandé à Dolly Parton, qui avait été élevée dans la pauvreté à Sieverville au Tennessee, si étant enfant elle avait jamais imaginé devenir riche et célèbre. Elle répondit qu'elle avait *toujours su* qu'elle deviendrait un jour ce qu'elle est aujourd'hui. Le fait de croire qu'un jour elle aurait tellement plus lui rendait la pauvreté supportable.

Allez, soyez honnête avec vous-même. N'êtes-vous pas où vous êtes maintenant parce que c'est ce à quoi vous vous attendiez? Nous devenons ce que nous pensons être à longueur de journée!

Récemment, je lisais un article sur un homme nommé Marc Kreiner. Il y a cinq ans, il travaillait comme commis dans un magasin. Aujourd'hui, il est producteur et promoteur de disques disco. Il possède une maison de quatre millions et demi de dollars au bord de la mer, une Rolls Royce, une Porsche et deux Cadillac de 80 000$.

Une autre histoire de succès, celle de Paula Nelson qu'on appelle souvent "l'enfant prodige de l'entreprise". En dix ans, avec seulement *six jours* d'université derrière elle, Paula a réussi à mettre sur pied trois entreprises manufacturières, à écrire un best-seller intitulé *The Joy of Money* (Stein and Day, 1975) et à devenir consultante financière pour une émission de télévision regardée chaque matin par des millions de téléspectateurs à travers tout le pays.

Aucune de ces personnes n'était plus intelligente ou plus brillante que vous et moi et elles n'ont pas commencé avec de grands appuis financiers, mais elles savaient ce qu'elles voulaient retirer de la vie et elles n'avaient pas peur de poursuivre leur but. Elles avaient plus qu'une bonne attitude, elles étaient animées d'un ardent désir.

À la page 222 de votre section pratique, vous trouverez un plan quinquennal. Inscrivez-y tout ce que vous voudriez qu'il vous arrive d'ici cinq ans. Parlez de votre maison, de sa localisation, de l'ameublement. Discutez du travail ou des projets dans lesquels vous avez choisi de vous impliquer. Indiquez votre salaire et vos biens. Décrivez votre façon d'occuper vos loisirs et la qualité de vos relations. Soyez aussi précise que possible car vous êtes en train de semer des idées qui se développeront dans la mesure où vous y penserez. Rappelez-vous, vous devenez ce à quoi vous pensez chaque jour!

Naturellement, ces objectifs à long terme ne sont pas fixés d'une façon absolue. Vous pouvez toujours changer d'idée, et en fait vous le ferez probablement. Ce qu'il importe de constater, c'est que vous devez vous fixer un but afin de tirer le meilleur de l'existence. À partir de là, vous pouvez élaborer un plan d'action et déterminer un itinéraire qui vous conduiront à destination.

Prenez également conscience d'objectifs que vous n'avez pas encore identifiés. Récemment, j'ai dirigé une session sur l'établissement d'objectifs et l'amélioration de l'estime de soi pour un groupe d'employés municipaux. Par la suite, une femme paraissant très intéressée est venue me voir pour me demander si je pouvais lui recommander un bon livre sur l'établissement d'objectifs, car elle disait n'en avoir aucun. J'ai d'abord pensé que j'avais échoué dans la présentation de mon programme, mais j'ai vite constaté que ce n'était pas le cas. Une personne tire d'un livre, d'un séminaire, d'une conférence ou de quelque source que ce soit ce dont elle a vraiment besoin et ce qu'elle recherche.

Avant de lui faire quelque recommandation que ce soit, j'ai demandé à cette femme de me parler d'elle-même. Elle me dit qu'elle avait été mariée pendant quinze ans, qu'elle était divorcée depuis peu et qu'elle ne voulait plus jamais dépendre de quelqu'un (Que disait-elle là? Objectif numéro un.). Je n'ai pas fait de commentaires tout de suite; j'ai seulement dit: "Continuez à me parler de vous." Elle a ajouté qu'elle avait perdu quinze livres, qu'elle avait encore dix livres à perdre et qu'elle ne voulait plus jamais faire d'embonpoint. Je n'ai rien dit d'autre que: "Alors qu'est-ce que vous projetez?" et j'ai constaté que perdre du poids était aussi un objectif. Elle a ajouté qu'elle désirait refaire sa garde-robe et s'acheter des modèles de grands couturiers. Elle ne pouvait auparavant se permettre l'achat de vêtements coûteux parce qu'elle avait toujours été trop grosse et elle ne paraissait pas assez bien pour les mettre en valeur.

Je me suis alors mise à sourire pour plusieurs raisons. L'une d'elles était à mon avantage: j'avais vraiment fait du bon travail au cours de ce séminaire. J'ai ensuite fait remarquer à cette femme qu'elle venait tout juste d'indiquer trois objectifs en moins de cinq minutes et que chacun de ces objectifs était aussi important que n'importe quel autre pour lui assurer le bonheur et le succès. Les objectifs sont en rapport avec les besoins d'un individu. Personne ne peut déterminer ce qui est important pour quelqu'un d'autre. Nous sommes toutes le produit de notre propre conscience. C'est ce qui nous distingue. Personne n'est plus brillant ou moins intelligent que vous ou moi. Cependant, certaines personnes sont plus ou moins conscientes.

Exercice 6: votre mission spéciale sur terre

On dit que les personnes les plus heureuses sont celles qui tentent d'améliorer le monde de quelque façon. Je crois que c'est vrai. Jusqu'ici, nous nous sommes attardées aux choses que vous désirez personnellement pour être heureuse dans la vie. Mais maintenant il est temps de penser à la contribution que vous aimeriez apporter à la vie des autres.

En ce moment, vous devez vous demander quelle est exactement cette contribution unique que vous avez à offrir à l'humanité. Cela me fait penser à cette histoire racontée par un homme qui croyait n'avoir aucun talent. En grandissant, il avait observé que les membres de sa famille étaient particulièrement doués en musique ou en art. Malheureusement, il n'avait pas de tels talents.

Il voyait ensuite ses amis qui étaient doués sur le plan athlétique ou intellectuel et il conclut qu'il était "tout juste dans la moyenne" dans ces deux domaines. Finalement, il constata qu'il avait une qualité unique qu'il pouvait partager avec les autres: son enthousiasme. En fait, il était capable de communiquer de l'enthousiasme à n'importe quel groupe dans lequel il s'impliquait.

Dans sa jeunesse, les sports le passionnaient; aussi se servait-il de son enthousiasme pour soutenir l'équipe et l'aider à gagner le championnat. Plus tard dans la vie, il s'orienta vers le service aux autres. Il savait qu'il n'avait pas les talents de certains individus. Il ne pouvait pas inventer un remède contre le cancer ou composer de la grande musique que tous apprécieraient, mais il pouvait toujours prêter son enthousiasme, son dévouement et sa capacité de travailler à l'intérieur d'organisations vouées à améliorer le monde. Tout le monde a la capacité d'aider quelqu'un d'autre.

Examinez les sphères d'activités qui vous intéressent le plus et analysez les besoins à combler. À la page 223 de la section pratique, vous trouverez un espace où dresser la liste de vos choix et objectifs. Permettez-moi de vous dire ce que certaines personnes ont fait après s'être demandé quelle contribution elles pourraient apporter à la société.

La mère d'une famille nombreuse voulait se mettre au service de quelque cause, malgré ses nombreuses obligations familiales. Elle et son mari décidèrent que la maison pouvait accueillir d'autres enfants et ils ont accepté de devenir un foyer nourricier. Ils prennent souvent des bébés pour des périodes allant de quelques semaines à plusieurs mois.

Un médecin qui travaillait auprès de jeunes patients atteints de cancer se demandait ce que ces enfants pourraient faire pour se sentir utiles. Il mit sur pied un programme permettant à chaque jeune patient de prendre contact avec d'autres jeunes cancéreux pour leur apporter de l'encouragement et un soutien émotif. Il me disait avoir observé, pour la première fois depuis le début de leur maladie, un soulagement chez ses patients impliqués dans le programme. Ils semblaient avoir une raison de vivre. Savoir que les autres avaient besoin d'eux déclenchait un mécanisme dans leur corps pour combattre leur propre maladie. Nous commençons seulement à connaître le pouvoir de guérison de notre esprit.

Une enseignante à la retraite qui visitait un parent dans un foyer d'accueil avait remarqué que les couvertures et les couvre-lits étaient dans un piètre état. De retour chez elle, comme elle était intéressée par ce type de travail, elle confectionna plusieurs courte-pointes pour les offrir aux patients. Personne ne peut rester indifférent devant les besoins des malades placés en foyer d'accueil. Il y a tant de gens qui sont désespérément dans le besoin. Votre présence est nécessaire à une personne qui souffre de solitude.

Comme vous pouvez le voir par ces exemples, chaque individu a quelque chose d'unique à offrir aux autres; chacun peut trouver une place où son talent et sa contribution seront appréciés. Faites dès maintenant une évaluation personnelle de vos possibilités. Reconnaissez que la plupart des gens ont les mêmes besoins que vous. Donnez aux autres ce que vous voulez le plus, que ce soit de l'amour, de la bonté, de la présence ou de la compréhension. Je vous garantis que vous serez récompensée au centuple.

Je suis convaincue que nous sommes toutes ici-bas pour cette raison. Edgar Cayce disait un jour: "Le chemin vers le Ciel est au bras de l'homme que vous êtes en train d'aider." Le Ciel est ici même pour la personne vivant selon cette philosophie. Commencez dès aujourd'hui à devenir plus consciente de votre capacité d'aider les autres. Aider les autres à se sentir mieux, c'est le plus grand cadeau que vous pouvez leur faire. Cela exige seulement un peu d'effort et de sincérité de votre part.

Cavette Robert, un des plus grands annonceurs en Amérique, me disait un jour que chacun a besoin de sentir qu'il est important. Le plus grand cadeau que nous puissions faire à quelqu'un, c'est de reconnaître ses qualités personnelles et uniques et de lui faire savoir que nous l'apprécions.

Exercice 7: établir vos priorités

Maintenant que vous avez examiné vos besoins, vos désirs, vos rêves et votre contribution possible à l'humanité, j'aimerais que vous alliez à la page 224 de la section pratique et que vous examiniez ces quatre questions:

1. Quels sont, pour vous, les trois objectifs les plus importants dans la vie?
2. Si vous n'aviez que six mois à vivre, quels seraient vos objectifs majeurs?
3. Comment passeriez-vous votre temps aujourd'hui si vous pouviez choisir vos activités?

4. Comment voudriez-vous vivre votre vie si vous saviez que vous ne pouvez pas échouer?

Si vous avez oublié des rêves ou des buts importants dans les exercices précédents, c'est une bonne façon de les découvrir. C'est aussi une bonne façon d'établir vos priorités.

Nous avons tous assez de temps pour faire ce que nous voulons vraiment faire, mais personne ne sait vraiment de combien de temps il dispose sur cette terre. C'est pourquoi il est si important d'établir des priorités. Une fois que nous avons accompli les choses importantes, nous pouvons commencer à passer du temps à des activités secondaires.

Aborder votre avenir

Tous les exercices que vous avez complétés dans ce chapitre peuvent vous aider à bien saisir où vous en êtes actuellement dans la vie et où vous voulez aller. *Mais vous devez maintenant prendre une décision.* Voulez-vous poursuivre votre route ou changer de direction? Si vous décidez de continuer sur le même chemin, beaucoup de renseignements dans les prochains chapitres vous aideront à mieux le faire. Et si vous avez une imagination fertile, croyez-moi, vous pouvez faire de ces nouveaux objectifs d'éclatantes réalités.

3

Établir vos objectifs
et transformer vos rêves en réalités

"Planifiez votre travail, travaillez votre plan."
Anonyme

Je l'avais remarquée lors d'un des premiers ateliers que j'ai dirigés en tant que consultante en organisation du temps. Elle s'appelait Amanda. C'était une femme élancée, plutôt timide, au début de la trentaine. J'aimais l'enthousiasme qui irradiait d'elle. Elle venait de terminer ses premiers exercices sur les rêves et l'identification des besoins et elle avait une question à poser.

"Je sais ce que je veux dans la vie. D'ici cinq ans, j'aimerais devenir cadre dans la compagnie où je travaille. Je veux augmenter mes revenus de façon à pouvoir me payer les meilleures choses, mais par-dessus tout je voudrais fournir un apport réel à la compagnie. J'aimerais participer aux décisions. J'envie le pouvoir que possèdent les cadres. Actuellement, je ne suis que secrétaire. Mon rôle se limite à prendre les lettres en sténo et à taper à la machine. Je n'ai ni l'éducation ni l'expérience d'un cadre. Comment une personne comme moi peut-elle atteindre un pareil objectif?"

J'ai rassuré Amanda en lui disant qu'un tel objectif était réalisable et que d'autres femmes y étaient déjà arrivées.

"Bien, a demandé Amanda, quel est le secret? Par où dois-je commencer?"

"Avec des objectifs, des buts clairs, précis et à court terme, ai-je répondu. Je veux dès maintenant vous proposer cinq objectifs simples. Chacun d'eux vous permettra de faire un pas dans la direction voulue."

Dans ce chapitre, nous allons traiter de l'importance des objectifs à court terme et du moyen de les utiliser. Je vais vous faire part des cinq objectifs que j'ai proposés à Amanda pour l'aider à démarrer. Examinons d'abord pourquoi il est si important de se fixer des buts pour atteindre le succès.

Ty Boyd, un ami et membre de la National Speaker's Association, raconte une entrevue avec le regretté H.L. Hunt, l'un des hommes les plus fortunés d'Amérique. Ty demande à monsieur Hunt le secret de son succès. Il répond qu'il y a quatre choses à faire:

1. Vous devez décider ce que vous voulez.
2. Vous devez décider ce que vous êtes prêt à abandonner.
3. Vous devez établir vos priorités.
4. Vous devez vous mettre au travail.

Que veut dire "se mettre au travail"? Ça veut dire commencer à agir dès la levée du lit. Ça veut dire prendre tous les moyens matériels nécessaires pour faire de son objectif une réalité. Comme le dit monsieur Hunt: "Si vous ne vous mettez pas au travail, les trois premiers points ne serviront à rien."

La plupart des gens parviennent à remplir les trois premières conditions mais échouent à la quatrième. Si vous ne considérez pas votre vie comme une réussite à ce moment-ci, soyez honnête avec vous-même. Avez-vous vraiment travaillé dans le but d'obtenir ce dont vous aviez rêvé? Le monde vous a-t-il trahi ou constatez-vous et admettez-vous que vous êtes là où vous êtes parce que c'est exactement là où vous voulez être, là où vous méritez d'être? Chacun de nous doit faire face à cette réalité dure et froide. *Nous déterminons notre propre destin.*

Je suis toujours amusée de voir des amis consulter des médiums pour découvrir ce que l'avenir leur réserve. Il devraient plutôt leur dire ce qu'ils espèrent de l'avenir en se fondant sur le mode d'action qu'ils ont choisi.

L'importance des objectifs

Les objectifs vous font épargner du temps. Ils contribuent à canaliser et à orienter votre énergie et votre enthousiasme parce qu'ils constituent un but immédiat. Ils vous donnent une raison de sortir du lit le matin.

Vous êtes-vous déjà réveillée sans projet un samedi matin? Rien au programme et rien à envisager. Avez-vous accompli beaucoup de choses ce jour-là? Probablement pas. Vous avez dû gaspiller des heures précieuses et aller vous coucher le soir avec le sentiment de n'avoir rien accompli.

Vos objectifs vous permettent de tirer le maximum de chaque journée. Lorsque vous avez un but, il y a toujours quelque chose qui vous motive. Votre énergie et votre enthousiasme sont utilisés de façon constructive au lieu de se gaspiller.

De plus, le fait de vous fixer des objectifs à court terme vous permet de vivre des expériences fructueuses. Non seulement vous avez la satisfaction d'être sur la voie de réaliser votre grand rêve, mais vous connaissez également de nombreuses petites réussites en cours de route.

Prenons un enfant qui étudie le piano dans l'espoir de jouer un jour en concert. Son professeur, s'il est avisé, établira de petits objectifs à atteindre graduellement, accordant des bonnes notes pour l'exécution de pièces difficiles et des récompenses lors de performances spéciales.

Vous n'avez peut-être pas un professeur dont le rôle serait de vous fixer des objectifs réalisables, mais vous pouvez toujours réaliser une continuité d'expériences réussies pour vous aider à demeurer motivée et déterminée à atteindre votre objectif.

Comment vos buts deviennent des expériences réussies

Beaucoup se fixent des buts mais tous ne les atteignent pas. Pourquoi? Généralement, les gens abandonnent leurs projets parce que ces derniers leur semblent trop difficiles à atteindre, qu'ils exigent trop de temps ou parce qu'ils ne savent tout simplement pas par où commencer. En fait, des études ont montré que la plupart des gens n'entreprennent une tâche que s'ils sont certains de la terminer. Jusqu'ici, vous doutez peut-être de votre capacité de gagner un million de dollars et de mettre sur pied votre propre affaire, mais vous pouvez construire cette confiance en vous-même et en votre projet. La façon d'y arriver, c'est d'avoir un but à court terme. Voici certaines directives et suggestions.

1. Fixez-vous un but que vous pouvez réaliser

Calvin Lehew, un de mes amis du Tennessee, ayant réussi dans le domaine de l'immobilier et conférencier dévoué à la promotion des principes du succès, m'a enseigné il y a de nombreuses années qu'il faut franchir trois étapes importantes pour atteindre le succès. Ces trois étapes ont été identifiées par le docteur Norman

Vincent Peale dans un livre sur le pouvoir de la pensée positive. Selon le docteur Peale, les gens qui ont du succès commencent par visualiser celui-ci, pour ensuite s'en convaincre et finalement le concrétiser.

Calvin a appliqué cette théorie et est devenu millionnaire avant l'âge de 35 ans. Il m'a conseillé de recourir aux techniques de représentation qu'il avait maîtrisées pour obtenir n'importe quel succès dans la vie. Il disait qu'il est important de découper des images en couleur représentant nos buts et nos désirs, de les garder dans un classeur facilement accessible et de nous y référer fréquemment afin que nos objectifs fassent intimement partie de notre conscience.

Lorsque j'enseignais dans une zône défavorisée de Daytona Beach en Floride, j'ai essayé de trouver une manière d'appliquer cette technique. J'essayais de motiver mes étudiants à poursuivre leurs études de sorte qu'un jour ils puissent avoir de belles maisons et des objets de valeur comme de la porcelaine, du cristal et de l'argenterie. Ils me regardaient sans comprendre. Pourquoi travailleraient-ils pour obtenir de tels biens? Ils n'avaient jamais vu ces objets luxueux. À la maison, ils buvaient dans des verres à moutarde. Leur parler de la beauté du cristal et du plaisir d'en posséder n'éveillait pas leur enthousiasme. J'ai donc organisé des visites dans des magasins chics où ils ont pu voir et toucher de la belle porcelaine, du cristal et de l'argenterie pour la première fois de leur vie. Ils ont pris conscience du fait que le travail et le succès sont récompensés. Avant cela, ils n'avaient aucune motivation.

Vous pouvez augmenter votre niveau de conscience de la même façon grâce à des images évocatrices et une imagination débordante.

On raconte l'histoire d'un jeune adolescent qui rêvait de devenir médecin malgré de mauvaises notes en sciences à l'école secondaire. Il alla demander conseil à son tuteur.

"Que voulez-vous devenir dans la vie?" demanda le tuteur.

"Médecin", répliqua le jeune homme.

Son tuteur lui décrivit alors les longues heures d'étude nécessaires afin de réussir des études de médecine.

"Vous croyez-vous capable de rencontrer ces exigences?" lui demanda son tuteur.

"Non", répliqua le garçon.

Puis il lui décrivit les cours préalables importants et les notes que le jeune homme devait obtenir pour terminer son collège.

"Vous croyez-vous capable de payer le prix d'un tel succès?"

La réponse du jeune homme fut encore non.

Finalement, le tuteur demanda au garçon s'il consentirait à travailler quelques heures supplémentaires le soir pour améliorer ses résultats en sciences à l'école secondaire.

"Oui!" répondit le garçon, enthousiaste.

Ce jeune homme fit ce travail supplémentaire, passa son cours de science brillamment et termina premier de sa classe. Il alla au collège, fut accepté à l'école de médecine et il pratique maintenant cette profession.

Il a pu concrétiser son rêve parce qu'il s'est fixé un but accessible. Il devait se représenter son succès avant de pouvoir l'atteindre grâce à une action appropriée. Si vous atteignez votre objectif, choisissez un autre but à court terme.

2. Fixez-vous un but mesurable et concret

En vous fixant un but, posez-vous ces questions:

Est-ce mon but précis?

Serai-je capable de mesurer la différence après l'avoir atteint?

Généralement, la poursuite d'un objectif exige une action précise; vous pensez probablement en termes de généralités difficiles à traduire en expériences réussies.

Au cours d'un récent atelier, un participant était déterminé à devenir un meilleur père pour ses enfants.

"C'est un objectif louable, lui ai-je expliqué, mais il est vague. Pourquoi ne pas penser à un geste précis, mesurable, que vous pourriez poser cette semaine?"

Après avoir examiné plusieurs possibilités, le père décida finalement qu'il essaierait de sourire et de faire un compliment sincère à chacun de ses trois enfants chaque jour pendant une semaine. Chaque jour, il leur dirait qu'il les aimait, à leur départ pour l'école et à son retour du travail.

Sept jours plus tard, il revint en disant que son expérience avait eu du succès. Son nouveau but était de passer une demi-heure par semaine avec chaque enfant en participant à une activité que l'enfant aimait particulièrement.

Des buts spécifiques entraînent des résultats précis. Ces résultats constituent une expérience positive et ils vous aident à constater que vous êtes bien en voie de réaliser votre objectif.

3. Fixez-vous des objectifs qui ouvrent la porte aux occasions

Essayez toujours de choisir des buts qui vous conduisent dans la bonne direction. Citons l'exemple de Benjamin Franklin. Même s'il dut abandonner l'école lorsqu'il avait dix ans, il passa ses nuits à étudier l'arithmétique. À douze ans, il ajouta des exercices d'écriture. Plus tard, adolescent, il étudia les langues étrangères, notamment le français, l'italien, l'espagnol et le latin. Franklin put ainsi passer de la pauvreté à une grande richesse, et grâce à ses objectifs antérieurs, il atteignit le succès comme homme scientifique, inventeur, homme politique et écrivain.

Lorsque Paula Nelson, cette prodige de l'entreprise dont nous parlions au chapitre 2, décida de passer de l'état de "secrétaire" à la situation de "femme d'affaires accomplie", elle commença également par se donner une formation. Même si elle ne retourna pas à l'université, elle suivit ce qu'elle appelle "le programme de formation économique de Paula Nelson".

Madame Nelson disait: "Je voulais obtenir la meilleure information disponible; aussi ai-je assisté à des séminaires présentés par des courtiers. J'ai lu de nombreux livres et revues sur le sujet et j'ai continuellement posé des questions. J'ai pris le temps d'observer des hommes d'affaires ayant réussi dans leurs activités quotidiennes, regardant leur façon de se comporter dans leurs conversations et au cours des réunions." C'est à partir de ces premiers objectifs d'apprentissage que Paula accéda au monde des affaires et y réussit brillamment.

4. Déterminez le temps dont vous avez besoin

Vos tâches vous sembleront moins accablantes si vous vous fixez des échéances et ces échéances vous aideront à éviter les délais. Par exemple, quand j'ai décidé d'écrire ce livre, j'ai établi des étapes: une échéance pour l'ébauche de chaque chapitre, une autre échéance hebdomadaire pour la rédaction de chaque chapitre, une autre échéance pour les retouches. Les échéances rendent les retards impossibles. Si nécessaire, prenez-en l'engagement vis-à-vis d'une autre personne. Dites-lui ce que vous prévoyez accomplir et quand vous voulez l'avoir terminé. Lorsque le travail est découpé en petites portions, il semble plus facile à réaliser.

5. Accordez-vous des récompenses à mesure que vous atteignez chaque objectif. Ayez toujours quelque chose à envisager

Je me récompense en passant plus de temps avec mes enfants. Ils apportent dans ma vie plus de satisfaction et de joie que n'importe quelle autre activité. Passer plus de temps avec eux est pour moi une incitation à accomplir mes tâches rapidement.

Certaines personnes aiment se récompenser en prenant de brèves vacances après une tâche difficile. D'autres se satisfont simplement d'enregistrer les résultats et de constater leurs progrès. Je connais une femme qui tient un journal quotidien de ses réussites. Elle dit qu'il a le même effet sur elle que d'accorder une étoile à un enfant qui apprend un nouveau morceau de piano.

J'ai un jour demandé à une femme écrivain de 76 ans invitée à mon émission quotidienne de télévision ce qui la motivait à entreprendre une tournée de promotion, car je savais combien ces tournées peuvent être éreintantes. Elle me répondit que lorsque la tournée serait terminée, elle aurait droit à "son morceau de gâteau": il s'agissait pour elle d'une croisière dans les Caraïbes. Le gâteau représentait sa vie entière partagée entre toutes les personnes qui mobilisent son temps et son énergie. Elle avait appris à se réserver une petite partie du gâteau.

6. Fixez-vous des buts qui ne peuvent pas être remis à plus tard

Les excuses pour n'avoir pas atteint un but sont nombreuses et variées. En voici quelques-unes que j'ai relevées chez des participants à mes ateliers:

"Je suis trop occupé pour étudier maintenant."

"Je n'arrive tout simplement pas à trouver le temps."

"Je n'aurai pas de temps à consacrer à ce projet avant mon retour de vacances."

Au lieu de vous trouver des excuses, établissez des buts différents. Si vous ne disposez pas d'une heure, essayez de trouver une demi-heure ou même dix minutes par jour à consacrer à votre objectif. Le rythme sera plus lent, mais il est préférable d'avancer lentement plutôt que de faire du sur-place.

Nous remettons à plus tard les choses désagréables en espérant qu'elles se feront d'elles-mêmes ou que quelqu'un d'autre les fera. Je dis: "Apprenez à manger d'abord la croûte!" Je m'explique.

Un jour, je recevais un ami à dîner et j'ai servi de la tarte comme dessert. Il y a longtemps, j'ai appris à servir un morceau de tarte correctement. Vous vous servez de votre main gauche et vous placez le morceau de tarte devant votre invité, la pointe vers lui.

J'ai remarqué que mon ami tournait son assiette et commençait à manger sa tarte par la croûte. Lorsque je lui ai demandé pourquoi, il m'a répondu: "Rita, j'adore la tarte mais je n'ai jamais aimé la croûte. Je veux d'abord enlever la croûte pour pouvoir profiter de la tarte."

Ne remettez jamais à plus tard une tâche désagréable. Vous vous sentirez mieux si vous vous en débarrassez. La bonne fée n'existe que dans le contes pour enfants. Personne ne fera, ou même ne pourra faire ces choses à votre place. Le fait de les remettre à plus tard vous nuirait: mieux vaut s'en débarrasser. Mangez la croûte d'abord.

Lorsque j'ai choisi de devenir une consultante réputée en organisation du temps, j'ai décidé que je devais prendre le temps de faire chaque jour quelque chose dans le but d'atteindre mon objectif. Il pouvait s'agir de lire un livre, d'écrire un article, d'organiser un atelier ou de rencontrer d'autres personnes dans ce domaine, mais chaque jour j'avais quelque chose à faire.

J'ai atteint mon objectif en grattant cinq minutes ici, dix minutes là, en réfléchissant au volant de mon auto, en prenant des notes aux feux de circulation. Lorsque je suis avec des amis, il m'arrive souvent de diriger la conversation vers l'organisation du temps, leur demandant leurs idées et leur façon de procéder dans ce domaine.

Je vous le garantis, vous pouvez atteindre vos buts même avec un emploi du temps chargé. Soyez seulement consciente de vos minutes libres et soyez prête à les utiliser sagement (voir le chapitre 4 pour plus de détails à ce sujet).

7. Entreprenez vos tâches avec enthousiasme

Examinez les tâches à accomplir et demandez-vous: "Comment m'y prendrai-je pour atteindre ce but avec enthousiasme?" Puis: "Est-ce que je l'accomplirais plus vite? Plus facilement? Avec moins de frustration?" Imaginez les résultats et agissez en accord avec la vision de votre esprit.

Vous pouvez épargner du temps si vous travaillez avec enthousiasme. J'ai demandé à trois femmes de choisir cinq tâches faisant partie de leur programme d'objectifs de cinq ans qui devaient être complétées avant de passer à autre chose. Elles ont toutes choisi des tâches qu'elles avaient précédemment remises à plus tard. Je leur ai expliqué que même si elles n'éprouvaient aucun enthousiasme pour ces activités, elles devaient faire semblant d'être enthousiastes. À la fin de la semaine, chacune avait complété ses tâches et pouvait maintenant passer à quelque chose de plus agréable. De l'enthousiasme, même simulé, ça fait toute la différence.

8. Apprenez à faire de votre rêve la priorité absolue

Chaque matin, posez-vous la question: "Quelle est la chose la plus importante à accomplir pour atteindre ce but?"

Faites-en la première tâche de votre journée. Ne permettez pas que d'autres activités de moindre importance viennent briser votre concentration ou votre impulsion. Essayez de vous lever une heure plus tôt, surtout si vous avez de jeunes enfants et si vous êtes bousculée par le temps. Vous pouvez accomplir beaucoup de choses avant que la famille n'impose ses exigences. Vous pouvez aussi éliminer des activités improductives, comme regarder la télévision, lire les journaux ou aller au cinéma.

Même si une tâche vous prend tout votre temps, vous en retirerez de la satisfaction si vous savez qu'elle est la plus importante.

9. Sachez prendre plaisir à travailler à chacun de vos objectifs à court terme

Demandez à une personne qui a réussi si elle a aimé la route qui l'a conduit à la réalisation de son rêve et elle vous répondra probablement oui!

Bruce Jenner, ce magnifique athlète américain qui a gagné la médaille d'or du décathlon aux Olympiques de 1976, s'était entraîné pendant huit ans pour atteindre son but. Au cours des quatre dernières années, la médaille d'or devint son obsession. Son quotidien était fait de discipline, de sacrifices et de volonté. Il a appris à tout calculer. Il se fixait des objectifs à court terme, il les atteignait puis il passait à de plus grandes exigences. Commentant ce long processus, Jenner écrivait: "J'adorais l'entraînement." *Adorez-vous atteindre vos objectifs?*

Apprenez d'abord à vous laisser absorber par votre travail, à maîtriser votre esprit. Ne laissez pas vos pensées s'éparpiller lorsque vous travaillez à réaliser votre rêve. Essayez de concentrer vos efforts. Développez et mettez en pratique une discipline personnelle. Et surtout, félicitez-vous de vos progrès et de vos réussites.

10. Évaluez votre performance

Je demande aux participants à mes ateliers d'évaluer leur performance quotidiennement. En se servant d'une échelle d'évaluation de 1 à 10 ou de notes comme: excellent, bon, passable ou faible, ils apprennent à être constamment responsables de leur performance.

Vous devez apprendre à évaluer votre performance à la fin d'une heure, d'une journée ou d'une semaine. Cette évaluation améliorera votre performance personnelle, votre travail, vos talents créateurs et même votre capacité à communiquer. Une évaluation constante vous permettra de juger de la pertinence de vos objectifs à court terme.

La pyramide du succès

Imaginez une pyramide. Au sommet de cette magnifique structure se trouve votre rêve ou l'ensemble de vos objectifs des cinq prochaines années. Chaque bloc de l'édifice représente un but à court terme que vous avez atteint: il peut s'agir d'une nouvelle habileté, d'une mauvaise habitude surmontée ou de talents que vous avez développés.

Imaginez maintenant le premier objectif à court terme sur lequel vous aimeriez travailler. Aux pages 225 à 227 de la section pratique, vous trouverez votre propre feuille de route et un exemple déjà complété. Remplissez-la et servez-vous-en comme guide pour vous aider à atteindre ce premier objectif à court terme.

Cinq objectifs à court terme
pour vous mettre sur la ligne de départ

Si vous êtes encore incertaine quant à savoir par quelle étape commencer, voici cinq possibilités toutes aussi valables.

1. Recherchez des informations relatives à votre rêve ou à votre objectif

Cette recherche vous permettra d'épargner du temps et vous servira de guide dans l'exécution de votre tâche. Évaluez ce dont vous aurez besoin sur le plan personnel, financier ou autre. Cette connaissance vous aidera à prendre les bonnes décisions.

Récemment, un groupe d'étudiants d'un collège commercial a accompli une recherche qui leur sera sûrement très utile. Ils ont écrit à quatre cents compagnies qui avaient l'habitude d'engager des diplômés de ce collège et ce afin de connaître leurs exigences professionnelles. Les étudiants demandaient aux compagnies d'évaluer 25 éléments différents tels la personnalité, les notes, les origines familiales, les habitudes, les habiletés particulières, les talents en communication et les qualités de leadership.

Ce travail a permis aux étudiants de mieux connaître le marché du travail et donc de mieux s'y préparer. Ils ont donc un avantage marqué sur d'autres étudiants en vue d'obtenir un bon emploi.

2. Choisissez de bons modèles

Dressez une liste d'individus qui ont réalisé des rêves ou atteint des objectifs semblables aux vôtres. Chaque personnalité aura une histoire différente à raconter. Chacune représentera un ensemble différent de forces et de qualités. Cette étude augmentera votre motivation et vous donnera quelques trucs susceptibles de vous aider à réussir.

Si possible, organisez une rencontre avec une de ces personnes modèle. Planifiez vos questions. Soyez prête à tout enregistrer ou à tout noter. De nombreux sujets peuvent être abordés et certaines questions peuvent vous aider à mener cette entrevue:

- Quelle est, selon vous, la façon la plus efficace d'utiliser le temps? Combien de temps consacrez-vous à votre objectif quotidiennement ou chaque semaine.
- Quels aspects de votre personnalité vous ont permis d'atteindre votre but?
- Quelle faiblesse avez-vous dû surmonter? Quelles nouvelles habitudes avez-vous dû développer?
- Quel type de formation recommandez-vous à une personne désireuse d'obtenir le succès que vous avez atteint?
- Quelle est la part du talent et celle du travail?

- Quelle sorte de sacrifices avez-vous dû faire en cours de route?
- À quels problèmes avez-vous dû faire face avant d'atteindre vos objectifs?
- Quelle est votre philosophie de la vie?
- Si c'était à refaire, y a-t-il quelque chose que vous feriez différemment?
- Avez-vous aimé poursuivre votre objectif?
- De façon générale, quel a été votre emploi du temps?
- Qu'est-ce qui vous a le mieux préparé au succès?
- Vous êtes-vous toujours fixé des buts précis?
- Maintenant que vous avez réussi à atteindre vos objectifs, qu'est-ce que vous appréciez le plus?
- Considérez-vous avoir réalisé ce que vous espériez?

Étudiez les grandes forces de vos modèles. Analysez leur personnalité, étudiez leurs qualités comme l'honnêteté, le courage ou la persévérance. Cependant, ne croyez pas qu'ils sont parfaits. Utilisez vos modèles comme des guides mais évitez d'en faire des idoles.

3. Consultez des experts dans le domaine qui vous intéresse

Parlez avec des entraîneurs, des professeurs, des conseillers ou avec quiconque susceptible de vous aider.

Toutefois, avant de vous en remettre à qui que ce soit, faites une étude complète de toutes les ressources humaines disponibles. Les experts ne travaillent généralement pas gratuitement. Vous devez être prudente et choisir des personnes honnêtes, compétentes et qui, par-dessus tout, feront tout en leur possible pour vous aider à atteindre votre objectif.

Que vous recherchiez les services d'un professeur de musique, d'un entraîneur, d'un agent ou d'un chirurgien, n'ayez pas peur d'examiner leur formation avant de faire votre choix. Pour vous aider à faire ce choix:

- Comparez leurs tarifs avec ceux d'autres personnes offrant les mêmes services.
- Vérifiez leur formation. Où ont-ils étudié? Qui ont-ils aidé? Depuis combien de temps sont-ils dans les affaires?
- Quelle est l'importance de leur entreprise? Combien de

temps peuvent-ils vous consacrer? Jusqu'à quel point semblent-ils se préoccuper de vous?

- Y a-t-il des contrats à signer? Un avocat a-t-il d'abord vérifié ces contrats? Sachez exactement quelle sera la responsabilité des deux parties.
- Ayez des objectifs globaux clairs et précis. Sachez exactement ce que ces experts peuvent vous offrir par rapport à votre objectif global.
- N'ayez pas peur de vérifier leur compétence auprès d'un organisme approprié. Mieux encore, essayez d'obtenir des rencontres avec des personnes qui ont eu recours à leurs services. Ne prenez aucune décision et ne signez aucun contrat avant d'avoir étudié toutes les possibilités.

Rappelez-vous que les experts que vous consultez ne seront pas nécessairement d'accord entre eux. Préparez-vous à cela. Après les avoir tous interrogés, vous serez en mesure de choisir celui qui pourra le mieux vous aider à atteindre votre objectif.

Il y a six ans, un jeune homme de vingt ans nommé Ken décida de réaliser son rêve. Il voulait devenir un des meilleurs joueurs de trompette du pays. Il espérait donner des concerts et enseigner au niveau universitaire. À ce moment-là, il étudiait la trompette depuis un an seulement.

Avant d'aller plus loin, il prit la sage décision de consulter des experts dans ce domaine. Il rencontra plusieurs trompettistes réputés. On le référa finalement à l'un des meilleurs professeurs de trompette du pays, Claude Gordon. Ce dernier expliqua à Ken que le chemin serait long et ardu. Il fallait travailler trois heures par jour, sept jours par semaine. Sa formation exigerait qu'il se rende à Los Angeles deux fois par mois pour y prendre des leçons et il devrait débourser des sommes importantes pour acheter le meilleur instrument et faire de la bonne musique. En outre, Ken devrait terminer sa maîtrise s'il voulait devenir professeur. Il devrait aussi chercher continuellement des occasions de jouer avec des groupes. Même si le rêve de Ken représentait au moins dix ans de travail constant et d'efforts acharnés, il décida de le poursuivre. Depuis six ans, il suit la route tracée par son professeur. Chaque matin, il se lève à cinq heures et travaille pendant trois heures. Il va de Phoenix à Los Angeles deux fois par mois pour prendre ses leçons. Il détient maintenant sa maîtrise et il envisage le doctorat. Tout indique que Ken sera capable d'atteindre son objectif grâce aux

précieux conseils de son professeur, sans qui il n'aurait probablement pas réussi.

4. Faites vos devoirs

S'il m'arrive d'ignorer quelque chose, je vais à la bibliothèque et je cherche les réponses à mes questions. Si vous êtes
trop timide pour interroger les gens que vous admirez ou consulter
des experts, je vous suggère cette méthode. À la bibliothèque,
vous trouverez des livres et des périodiques qui contiennent des
informations pertinentes. Pour découvrir ce qui est disponible:

- Allez à votre bibliothèque locale. Si vous habitez près
  d'un collège ou d'une université, allez visiter leur bibliothèque. N'ayez pas peur de demander l'aide du bibliothécaire ou de ses assistants.
- Vérifiez la date de publication des ouvrages que vous consultez. Si un texte est vieux de plus de cinq ans, essayez de
  trouver quelque chose de plus récent.
- Vérifiez la bibliographie et les références de chaque livre.
  Cela vous conduit souvent à d'autres lectures intéressantes.
- Demandez à votre bibliothécaire si le gouvernement publie
  des brochures qui traitent de votre sujet.
- Étudiez votre documentation comme si vous consultiez un
  expert. Posez-vous des questions: Quelle est la compétence
  de l'auteur? Quelles sont ses sources d'information? Cet
  auteur est-il en désaccord avec d'autres auteurs qui ont écrit
  sur le même sujet?

L'information écrite peut vous être d'un grand secours et elle
est généralement peu coûteuse. La plupart des livres sont bien docu-
mentés mais ne prenez pas pour acquis que tout ce que vous lisez est
vrai. Ce n'est qu'en recherchant toute la documentation et en vérifiant toutes les sources que vous vous ferez une image réaliste de la
voie à suivre.

5. Consultez ceux qui ont perdu la bataille

Cela peut vous paraître une façon étrange de travailler sur
votre objectif mais elle peut en fin de compte s'avérer très utile au
moment où vous tracez votre propre route. Si votre objectif pour
les cinq prochaines années est d'être acceptée dans une école de
médecine, vous êtes déjà au courant des exigences académiques,
mais la compétition est très forte et plusieurs échouent à

l'examen d'entrée à l'école de médecine. Pourquoi? Si vous parlez avec des personnes qui ont échoué, vous serez en mesure de déterminer quels sont les pièges à éviter; vous tirerez ainsi profit de leurs erreurs.

Si vous avez l'occasion de parler à de telles personnes, voici certaines questions à leur poser:

- Quel sorte de plan aviez-vous conçu au départ?
- Aviez-vous le soutien dont vous aviez besoin pour vous aider dans votre démarche?
- Quelles ressources vous ont manqué?
- Comment utilisiez-vous votre temps?
- Auriez-vous pu utiliser votre temps de façon à être plus productif?
- Aimiez-vous le travail que vous deviez faire ou était-ce une corvée?
- Avez-vous eu de bonnes ou de mauvaises surprises en cours de route?
- Si vous deviez tout recommencer, essayeriez-vous encore d'atteindre cet objectif ou croyez-vous qu'il est inaccessible? Choisiriez-vous un autre objectif?
- Puisque je poursuis le même objectif, quel conseil me donneriez-vous?

Même si certaines personnes sont réticentes à parler de leurs défaites, plusieurs analyseront leur mésaventure afin de vous aider à trouver votre voie.

Comment réunir votre information

À mesure que vous franchissez ces étapes dans la poursuite d'un objectif, vous accumulez beaucoup d'information. Pour vous aider à planifier et à établir le chemin à suivre, servez-vous de la feuille de route de la page 227 de votre section pratique.

Aller de l'avant

Une fois que vous vous êtes fixé un objectif stimulant qui constitue un défi à relever, vous êtes en bonne voie de réaliser vos rêves. Vous arriverez alors à utiliser votre temps d'une manière très satisfaisante. Apprenez à travailler en conséquence. Chaque jour, menez à bien vos tâches prioritaires. Ces succès répétés vous donneront une satisfaction intérieure et vous accéderez au bonheur.

4

Organisation du temps simplifiée
pour personnes compliquées

*"Quels que soient les dons des dieux, acceptez-les avec recon-
naissance et ne remettez pas vos tâches d'une année à l'autre,
de sorte que, où que vous ayez été, vous puissiez dire que vous
y viviez heureux."*
                        Horace

Certains experts disent que plusieurs gaspillent deux heures ou plus chaque jour et que la plupart des gens perdent leur temps de la même manière tous les jours! Vous êtes-vous jamais arrêtée à calculer combien de ce précieux temps vous gaspillez dans une journée, une semaine, un mois?

La plupart d'entre nous malheureusement ne sommes pas conscients du nombre d'heures que nous perdons. Parce que j'étais toujours occupée, je pensais que j'employais mon temps efficacement. Mon horaire était rempli de six heures le matin jusqu'à minuit et j'avais toujours quelque chose à faire. Quand j'ai décidé d'entreprendre une nouvelle carrière et d'atteindre de nouveaux objectifs, j'ai constaté que je devais opérer certains changements dans mon emploi du temps.

J'ai commencé par consulter des experts, des gens qui semblaient très productifs et qui avaient du succès. J'ai découvert qu'ils avaient tous appris à appliquer trois principes importants: *planifier, éliminer ce qui n'est pas essentiel* et *déléguer des fonctions.*

Jetons un regard sur chacun de ces principes et voyons ensuite comment vous pourriez les appliquer à votre situation.

La valeur de la planification

Même si vous n'êtes pas très occupée, vous devriez toujours prendre le temps de planifier. Une bonne planification ne demande que cinq ou dix minutes par jour et elle peut vous épargner des heures de frustration et de peine. L'essentiel, c'est que *la planification vous épargne du temps.*

Comment devriez-vous planifier? Et qu'est-ce que vous devriez planifier? Voici quelques idées à ce sujet:

Planifiez sur papier

Je ne connais pas un seul homme d'affaires, pas une seule femme d'affaires qui ne gardent constamment sur eux une sorte de carnet de rendez-vous, d'agenda, de calendrier ou de liste de "choses à faire". J'ai essayé plusieurs techniques et j'ai finalement adopté une sorte de carnet qui combine un agenda, une liste de choses à faire et un journal quotidien, en plus d'une douzaine de conseils pratiques en annexe; c'est un petit carnet qui se range facilement dans un sac à main, une poche ou une serviette. Je ne pourrais pas fonctionner sans le mien. Je vous recommande fortement d'en acheter un ou tout au moins de noter sur papier les choses que vous voulez accomplir. Un vieux proverbe chinois dit: "L'encre est plus puissante que la meilleure mémoire." Une fois que vos courses, vos rendez-vous, vos projets et autres idées sont inscrits en noir sur blanc, votre esprit n'a pas à se rappeler tous ces détails et il peut se concentrer sur la tâche à accomplir.

Planifiez afin de faire bon usage
de toute votre journée

Malheureusement, la plupart des gens ne font pas bon usage de leur journée. Il nous arrive de gaspiller nos meilleurs moments à des tâches peu importantes et nous essayons d'accomplir le travail important au moment où nous sommes exténuées.

Afin de déterminer comment utiliser votre temps le plus efficacement possible, suivez vos cycles (les hauts et les bas) physique, mental et émotif pendant au moins une semaine. La plupart des gens ont des cycles ou des modèles de comportement. Pour ma part, je fonctionne mieux le matin, mais j'ai une amie qui ne se réveille pas vraiment le matin et qui n'arrive à rien avant midi. Une participante à l'atelier avait relevé ses cycles et elle avait découvert que, entre dix-sept heures et dix-huit heures, elle avait tendance à être déprimée. Désirant faire le meilleur usage possible de son temps, elle a décidé d'utiliser cette période pour se divertir et se détendre. Elle a consulté sa liste des "Façons préférées de passer votre temps" et elle a choisi des activités appropriées pour cette période.

D'après ma propre expérience, et ayant observé celle des autres, je crois qu'il y a un "moment propice" pour accomplir chaque tâche importante, mais chaque personne a son propre cycle. Ne croyez pas que vous devez faire du jogging chaque matin à six heures parce que vos amis le font. Il peut être préférable pour vous de dormir plus longtemps le matin et de prévoir rester debout quelques heures de plus le soir pour accomplir votre travail.

La psychologue Joyce Brothers me disait un jour qu'en prenant votre température toutes les trois heures vous pouvez découvrir votre période d'efficacité maximale: vous remarquerez alors une légère augmentation de votre température. Si cette méthode vous est utile pour découvrir votre période d'efficacité maximale, suivez le conseil du docteur Brothers.

À la page 231 de votre section pratique, vous trouverez un espace pour dresser la liste des tâches et des courses que vous pouvez accomplir n'importe quand dans la journée. J'utilise mes petites pauses et les moments creux pour faire des courses ou travailler sur des détails reliés à mes objectifs globaux. J'ai dressé un jour une liste de toutes les choses que je pouvais accomplir en cinq minutes. J'ai découvert que je pouvais répondre à une lettre, envoyer une carte postale à un ami, faire un peu de jogging sur place pendant cinq minutes (naturellement, je ne peux faire ça que chez moi), mettre une chambre en ordre, arroser mes plantes, remplir ou vider le lave-vaisselle, préparer un menu, confirmer un rendez-vous ou coudre un bouton. J'ai découvert que les gens les plus efficaces ont appris à se servir de façon profitable des périodes d'attente et qu'ils ont une liste de menus travaux pour ces moments de disponibilité.

Ralph Geddes, un musicien qui voyage régulièrement avec un groupe, profite des entractes pour pratiquer des tours de prestidigitation avec les autres musiciens. Il réserve ses longues périodes libres pour travailler à un cours par correspondance.

Une de mes amies écrivain a décidé d'inscrire sur des bouts de papier qu'elle dépose dans une boîte toutes les petites tâches qu'elle doit faire pendant la journée. Lorsqu'elle veut prendre une courte pause, elle tire un papier de la boîte, exécute la tâche inscrite puis retourne à son travail d'écriture.

Planifiez votre heure de lunch

Manger au restaurant peut constituer une véritable perte de temps. Essayez plutôt la méthode de la boîte à lunch. Un goûter léger vous donnera plus d'énergie pour le reste de l'après-midi et, qui plus est, vous permettra d'utiliser votre heure du lunch à des fins productives.

Dressez une liste de toutes les choses que vous auriez toujours voulu faire mais que vous pensiez ne pas pouvoir faire au cours de votre heure de lunch. Avez-vous envie de visiter un musée, d'aller faire du jogging au parc, de vous asseoir sous un arbre pour méditer ou de faire quelques courses? Ne pourriez-vous pas utiliser ces moments pour travailler à la réalisation de vos rêves?

Une jeune secrétaire a décidé d'utiliser son heure de lunch pour suivre des cours de chant car son objectif est de devenir chanteuse. Un homme a décidé de parfaire sa formation scolaire en vue de passer l'examen d'entrée à l'école de médecine.

L'heure du lunch peut aussi être consacrée à vos enfants si vous les voyez lorsqu'ils reviennent de l'école le midi. Vous pouvez demander à la gardienne de venir avec eux à votre bureau pour visiter les lieux et faire ensuite un pique-nique dans le parc.

Tirez profit de vos déplacements

Je dois passer beaucoup de temps en auto, aussi me suis-je équipée en conséquence. J'ai un magnétophone à cassettes qui me permet d'écouter des enregistrements utiles à mon travail ou d'autres choses intéressantes. J'ai aussi, dans le coffre à gants, des cartes postales, des timbres, des stylos, des crayons, des carnets et d'autres éléments utiles (voir le chapitre 6 pour une liste plus complète). Quand je suis prise dans la circulation, je peux m'acquitter de ma correspondance, planifier des menus, prendre des notes qui serviront à de futurs ateliers sur l'organisation du temps, etc. Plusieurs hommes d'affaires ont aussi le téléphone dans leur voiture. Si vous négociez beaucoup d'affaires par téléphone et si vous passez beaucoup de temps en auto, cette possibilité peut s'avérer rentable.

Fixez-vous des échéances

Je trouve qu'il est stimulant de se fixer des échéances à court et à long terme. Une étude datant de 1922 indiquait qu'une maîtresse de maison consacrait environ cinquante-deux heures par semaine aux tâches domestiques. Dans les années 70, une étude sur le même sujet montrait que le temps consacré aux tâches domestiques était passé à cinquante-cinq heures, une augmentation de trois heures!

Cette augmentation ne s'explique pas par le fait que la maîtresse de maison moderne a plus de travail à faire mais bien *parce qu'elle dispose de plus de temps pour le faire*. Cet exemple illlustre une des lois de Parkinson: on consacre toujours tout le temps dont on dispose pour un travail donné. Alors qu'une maîtresse de maison peut passer cinquante-cinq heures par semaine à nettoyer, une femme de carrière ne peut en consacrer que vingt-huit. La femme de carrière a autant de choses à faire mais elle ne dispose pas du même nombre d'heures.

Le chronomètre constitue le meilleur moyen de surmonter ce problème. Si je dois faire un lit, nettoyer une armoire, vider le garage ou vérifier mon carnet de chèques, je mets en marche un chronomètre pour me mettre au défi d'accomplir ces tâches plus vite. J'ai donné ce truc à plusieurs participants à mes ateliers qui ont dit avoir obtenu des résultats très positifs.

Des échéances à long terme sont tout aussi efficaces pour des projets plus vastes. Je me mets souvent au défi d'accomplir un certain nombre de tâches importantes au cours d'un mois. D'autres se fixent des échéances et y attachent des récompenses comme: "Quand j'aurai fini ma thèse, je me paierai de belles vacances" ou "Quand j'aurai terminé le ménage du printemps, je vais recevoir tous mes amis."

Planifiez de manière à combiner diverses activités

Plusieurs activités peuvent facilement être combinées. Je connais un homme qui écoute des enregistrements de pièces de Shakespeare pendant qu'il se rase le matin. Un autre mémorise du vocabulaire en faisant son jogging.

Une jeune mère me disait qu'elle combinait ses tâches domestiques et son rôle de mère de la façon suivante: son bébé de quatre mois était attaché sur son dos pendant qu'elle faisait son travail. Elle pouvait ainsi être attentive à ses besoins tout en faisant le lavage, en essuyant la vaisselle ou en balayant le plancher.

Observez toutes vos activités et voyez celles qui pourraient être combinées, examinez vos buts et objectifs pour déterminer comment une activité pourrait répondre à plusieurs besoins. Si vous aimez cuisiner et si vous souhaitez passer davantage de temps avec vos enfants, invitez-les à la cuisine et enseignez-leur une de vos spécialités. Le même principe peut aussi s'appliquer à votre conjoint. Je connais un couple qui a décidé de restorer des antiquités. Il espérait passer plus de temps avec sa femme et elle avait hâte d'entreprendre la décoration de leur appartement. Cette activité leur permet de satisfaire leurs besoins réciproques.

Soyez toujours en avance

Être en avance exige une préparation. Vous pouvez y arriver de plusieurs façons.

Je connais un étudiant qui commence à étudier au cours de l'été pour préparer le semestre d'automne. Une de mes amies commence à cuisiner une semaine à l'avance pour ses réceptions: chaque soir, elle prépare un plat qu'elle congèle. Elle dresse la table la veille de la réception. Il lui est alors très facile d'être détendue et charmante, même après toute une journée de travail au bureau.

La Jeune Mère de l'année de l'Utah en 1978, Michelle Merservy, a fait son slogan de: être en avance. Ayant quatre enfants d'âge pré-scolaire, elle indiquait qu'elle n'arriverait à rien si elle ne gardait pas au moins une longueur d'avance. Afin d'atteindre son but, elle se réserve une période de temps chaque jour. Elle rapporte: "Dans l'après-midi, je fais de la couture, je prépare des cours, je planifie les menus du mois, je range une armoire, je mets mes affaires en ordre, etc. pendant que les enfants s'amusent avec leurs jouets."

Je garde de l'avance en réglant ma montre trois minutes plus tôt, en prévoyant les échéances importantes et en m'y préparant. Rappelez-vous, *dans tout ce que nous faisons, la préparation précède l'exécution!*

Éliminez le superflu

Pour distinguer ce qui est essentiel de ce qui ne l'est pas, posez-vous quotidiennement les deux questions suivantes:

1. Quels sont mes buts et objectifs les plus importants? (Tenez compte de vos buts à long, à moyen et à court termes).
2. Quel effet chaque activité aura-t-elle sur ma liste de "Choses à faire" par rapport à mes objectifs? Une fois que chaque tâche a été évaluée, établissez un ordre de priorités et exécutez d'abord les éléments les plus importants. Les activités qui semblent avoir moins d'importance ou pas du tout devraient être éliminées si vous manquez de temps.

Il est assez intéressant de constater que *quatre-vingt pour cent de notre succès dans la vie ne résulte généralement que de vingt pour cent de nos activités.* Ainsi, sur une liste de "Choses à faire" contenant dix éléments, seulement deux tâches auront une valeur par rapport à nos buts ou objectifs véritables. Plusieurs continuent quand même à passer du temps à des activités secondaires. Examinons-en quelques-unes.

La télévision

À moins d'avoir prévu de devenir critique de télévision, vous perdez probablement beaucoup de temps devant le petit écran. En fait, j'irais jusqu'à dire que c'est l'activité qui nous fait perdre le plus de temps. Regarder la télévision peut devenir une habitude, une sorte de drogue, et elle peut même causer certains dommages. Les statistiques montrent qu'un enfant regarde en moyenne cinquante heures de télévision par semaine. Et plusieurs adultes encore davantage. Une enquête récente indiquait que la télévision était l'activité préférée en Amérique.

Même si je travaille à la télévision et si j'estime cette industrie, je soutiens toujours qu'il n'y a que trois bonnes raisons de regarder la télévision. Je ne la regarde que si elle est une source d'inspiration, une source de connaissance ou une source de divertissement de qualité. Si elle ne correspond à aucune de ces catégories, je me dis toujours que beaucoup de comédiens et d'animateurs vivent à mes dépens. Pourquoi ne pas mettre tout ce temps au service de *votre* succès.

Les appels téléphoniques

Après la télévision, l'activité où nous perdons probablement le plus de temps, c'est le téléphone, soit au bureau soit à la maison. Vous êtes-vous jamais arrêtée à calculer combien de temps vous passez au téléphone au cours d'une seule journée? Nous avons toutes des problèmes de téléphone différents.

Il peut s'agir d'une femme dont l'amie aime passer des heures à jaser au téléphone et qui ne peut ainsi accomplir d'autres tâches importantes, ou bien d'un homme d'affaires qui a à traiter avec des clients qui appellent sans arrêt pour parler de golf plutôt que de choses ayant trait aux affaires. J'ai découvert que mon problème majeur était les appels téléphoniques imprévus. Lorsque j'étais au milieu d'un grand projet ou d'une tâche importante, on pouvait m'appeler et briser ainsi ma concentration et mon enthousiaste. J'ai finalement résolu ce problème en devenant mon propre "service de réponse au téléphone". Lorsque le téléphone sonne, je prends le combiné et en imitant un message enregistré, je dis très lentement et distinctement: "Allo, ici Rita Davenport. Je suis occupée maintenant mais si vous voulez laisser un message, je serai heureuse de vous rappeler aussitôt que possible." J'ai découvert que ces personnes laissent leur message sans même réaliser qu'il ne s'agit pas d'un message enregistré. Et moi, j'entends tout et je peux intervenir si je considère l'appel important. Dans ce cas, je dis: "Allo, je viens tout juste de prendre le téléphone. Je suis si contente que vous appeliez." (Naturellement, vous pouvez aussi faire installer un répondeur automatique pour moins d'une centaine de dollars, ce qui vous épargne même le temps de prendre l'écouteur.) Cette méthode vous permet de vous servir de votre téléphone à votre propre convenance. Après tout, n'est-ce pas pour cette raison que vous l'avez fait installer? Vous n'avez pas à être l'esclave d'un téléphone à moins que vous choisissiez de l'être.

Les appels excessivement longs peuvent aussi constituer un problème, mais votre façon de répondre peut influencer la durée de l'appel. Je dis souvent à mon interlocuteur: "Allo, j'ai seulement quelques minutes mais c'est un grand plaisir de vous entendre. En quoi puis-je vous aider?" Je trouve que cette intervention met fin au bavardage et amène directement la personne à l'objet de son appel. N'attendez pas d'avoir perdu trente minutes avant de dire combien vous êtes pressée par le temps. Lorsque c'est moi qui appelle, je dresse habituellement une liste des sujets que je veux aborder. Cela me permet d'épargner temps et argent, surtout si je fais un interurbain.

N'élaborez pas ou ne posez pas de questions si votre emploi du temps est serré. Vous pouvez placer un sablier près du téléphone, ou mettre en évidence le mot *temps* qui agira comme un aide-mémoire amical si vous vous sentez coupable de passer trop de temps au téléphone.

Quant aux interurbains, j'ai trouvé profitable de découper et de coller une liste des tarifs sur le téléphone (liste annexée à votre facture de téléphone). C'est un guide simple et pratique me permettant de voir d'un simple coup d'oeil le moment où il est le plus économique de faire un interurbain et le temps que je peux y accorder.

Les réunions

Lorsque vous organisez une réunion, assurez-vous de commencer à l'heure, de finir à l'heure et que seules les personnes concernées y participent. Je vous recommande aussi d'établir un ordre du jour précisant les points de discussion prioritaires. Un autre truc efficace consiste à tenir de brèves réunions informelles debout. Lorsque j'étais enseignante, j'ai suggéré que nous testions cette méthode et que nous en évaluions ensuite les résultats. La réunion ne dura que douze minutes, 33 minutes de moins que la précédente. Et nous avions absorbé tous les points essentiels. Pourquoi? Pensez-y un peu. Lors d'une réunion, les gens arrivent dans une pièce en jasant de leurs activités de la journée; ils se préparent un café, quelques-uns allument une cigarette; peu à peu ils s'asseoient tout en continuant de jaser, et voilà quinze minutes de perdu! Je préfère régler tout de suite les questions pour revenir à la maison plus vite et me détendre.

Je crois que chacun devrait se retirer lorsqu'il a apporté sa contribution. Vous pouvez aussi tenir la réunion dans le bureau de l'autre de façon à pouvoir mettre fin à la rencontre en vous en allant.

La correspondance

La façon la plus facile et la plus rapide de répondre à une lettre est de rédiger simplement une note brève à l'endos de la même lettre. Ça peut paraître un peu simpliste, mais vous seriez étonnée du nombre de professionnels qui utilisent cette technique. Prenez aussi l'habitude de répondre immédiatement à une lettre. C'est un truc que m'a donné Mary Kay Ash, directrice des cosmétiques Mary Kay. Lorsqu'elle ouvre une lettre, elle y répond tout de suite. Ne remettez pas à demain ce que vous pouvez faire aujourd'hui.

Le magasinage excessif

Il y a plusieurs façons de réduire le temps consacré aux courses:

1. Établissez toujours un menu hebdomadaire, ce qui vous permettra d'aller à l'épicerie une seule fois par semaine. Vous pouvez aussi acheter certains produits en grande quantité afin de réduire le temps passé au magasin.

2. Au début de l'année, faites une liste de tous les anniversaires et occasions spéciales dont vous voulez vous rappeler. Achetez vos cartes de souhaits en grande quantité, adressez les enveloppes et prenez en note (dans le coin où vous collerez le timbre) la date à laquelle chaque carte doit être postée. Rangez ensuite les cartes dans lesquelles vous avez inscrit vos souhaits selon l'ordre chronologique et remisez-les dans un endroit accessible de sorte que vous les voyiez chaque jour. Gardez aussi des timbres au même endroit. Chaque matin, jetez un coup d'oeil à cette pile de cartes et voyez lesquelles doivent être postées.

Une autre façon de réduire votre temps de magasinage est d'utiliser les services de commandes postales. Pensez aux heures et à l'essence épargnées, sans compter les maux de tête causés par les magasins encombrés, surtout lors des congés.

J'ai aussi une armoire secrète où je garde des cadeaux tout enveloppés munis d'une étiquette décrivant le contenu. Si je veux offrir un cadeau pour souligner un événement, je peux le choisir rapidement dans cette armoire, je n'ai pas à faire un voyage spécial au magasin. C'est aussi une bonne façon d'écouler les choses que vous avez reçues mais que vous ne pouvez pas utiliser.

3. Essayez aussi de vous occuper de vos petites courses lors de vos déplacements au travail. Vous pourrez ainsi vous ménager des périodes plus longues de repos. Une fois arrivée à la maison, j'aime revêtir des vêtements ordinaires et me détendre vraiment sans avoir à me rhabiller pour aller faire une course.

Les visiteurs

Même s'il est agréable d'avoir des visiteurs de temps en temps, leur présence peut briser votre rythme de travail, aussi bien à la maison qu'au bureau. Si vous vous sentez particulièrement pressée ou si vous avez un tas de choses à accomplir, utilisez les tactiques suivantes:

1. Fixez dès le départ le temps que vous pouvez consacrer à un visiteur inattendu. Je dis souvent: "Allo, je suis contente de vous voir. J'aimerais avoir plus de temps à vous consacrer mais je n'ai que quelques minutes. Je me préparais justement à sortir (par exemple). Qu'est-ce que je peux faire pour vous?" Vous pouvez être courtoise et amicale tout en étant ferme. Faites savoir à votre visiteur que vous êtes heureuse de le voir mais que vous avez aussi d'autres occupations. Les visiteurs imprévus ne méritent pas davantage. Négliger de vous aviser qu'on viendra chez vous constitue un manque de respect à votre égard. Vous arrêteriez-vous pour voir un ministre sans avoir pris rendez-vous? Personne ne le ferait, alors pourquoi mon temps ne vaudrait-il pas autant? J'avais l'habitude d'avoir ce problème parce que je n'ai jamais donné assez de valeur à mon temps. Maintenant, je le fais. Je suis disponible mais seulement sur rendez-vous. Vous vous apercevrez que les gens vous traitent comme vous le leur permettez. Vos véritables amis ne s'offusqueront pas. Ils savent combien vous êtes occupée et n'oseraient pas vous déranger sans vous avoir prévenue. Ils soutiennent vos efforts en vue d'être efficace et d'avoir du succès.

2. Arrivez-en rapidement au fait. Essayez toujours d'aider les gens à satisfaire leurs besoins. Parfois ils ont seulement besoin de parler à quelqu'un ou d'exprimer leurs sentiments. Il est aussi important de reconnaître ce besoin chez les enfants.

Une de mes amies me parlait d'une petite voisine qui se sentait souvent seule. N'ayant nulle part où aller, elle rendait souvent visite à cette amie qui, malheureusement, était habituellement occupée et avait peu de temps à consacrer à l'enfant. Mais cette dernière insistait. Finalement, mon amie décida que même si elle ne pouvait pas distraire l'enfant, elle pouvait s'arrêter, la serrer un peu dans ses bras et passer une ou deux minutes avec elle. L'enfant, sachant que quelqu'un se souciait d'elle, s'en allait ensuite et mon amie pouvait retourner à son travail sans se sentir coupable d'avoir éconduit l'enfant.

Même si vous n'avez que quelques minutes pour témoigner de l'intérêt à quelqu'un — enfant ou adulte — souriez, serrez-leur la main, donnez-leur une petite tape dans le dos et faites-leur savoir que vous vous souciez d'eux. Vous profiterez tous deux de la rencontre même si elle est brève.

3. Soyez ferme mais agréable lorsque vous mettez fin à une conversation. Mon assistante intervient souvent si quelqu'un me retient trop longtemps. Si vous n'avez pas d'assistant, levez-vous et dites: "Bien, il m'a été agréable de vous voir. Permettez-moi de vous accompagner jusqu'à votre voiture." C'est une manifestation de courtoisie et d'appréciation envers la personne et elle ne se rendra pas compte que vous lui demandez de s'en aller.

Si vous êtes à la maison, occupez-vous à une tâche, qu'il s'agisse de cuisiner, de faire le ménage ou jardiner. Demandez à votre visiteuse si elle aimerait vous aider; puisque ça doit être fait, ça ira deux fois plus vite. Si elle est là seulement parce qu'elle s'ennuie, ce sera pour elle un signal de départ. Si elle offre de vous aider — ce qui arrivera rarement — acceptez avec reconnaissance. Si vous interrompez toujours votre occupation à l'arrivée d'une personne inattendue, elle sera encouragée à s'arrêter chez vous plus souvent.

Vos obligations

Je vous suggère d'éliminer toutes vos obligations hors programme sauf celles qui ont le plus d'importance pour vous. N'essayez pas de répondre à toutes les demandes. Analysez plutôt vos objectifs globaux, surtout en ce qui a trait aux services à rendre. De quelle façon voudriez-vous vraiment contribuer au mieux-être de l'humanité? À quelles causes croyez-vous? Quelle sorte de travail aimez-vous faire? Faites-en des priorités absolues et apprenez à dire non à tout le reste.

Lorsque j'ai eu mon premier enfant, j'ai réalisé que j'avais à redéfinir mes priorités. Jusque-là, j'avais été active dans plusieurs organisations liées à ma profession. J'ai alors écrit à chacune de ces organisations pour leur expliquer qu'avec mes nouvelles obligations parentales je ne serais plus aussi active comme membre que par le passé. Je voulais continuer ma carrière et je devais organiser mon temps efficacement pour réussir en tant que parent et professionnelle. Je n'ai jamais regretté cette décision, car elle m'a évité de me disperser. Plus vous vous estimez, plus il est facile de refuser ce qui atténuerait votre ardeur au travail.

Vos relations

Réévaluez vos amitiés. Maintenez-vous des relations qui vous apportent peu de satisfaction et prennent beaucoup de votre temps? Essayez-vous de rester en contact avec tout le monde plutôt que de consacrer une plus grande partie de votre temps à des amis privilégiés? Si vous êtes entourée de gens qui ne vous apportent rien, examinez la possibilité de les écarter courtoisement au profit de véritables amis.

Les gens qui vous entourent ont beaucoup d'influence sur vos attitudes, votre comportement, votre performance et votre succès. Des amis stimulants exaltent votre ambition. Nous avons toutes la chance d'apprendre quelque chose des gens avec lesquels nous sommes en contact. Lors de mes conférences, je me sers souvent de l'exemple suivant: vous ne pouvez pas planer comme un aigle si vous êtes entourée de dindes. Un autre exemple: si vous voulez rester maigre, allez manger avec des gens maigres. Vous remarquerez qu'ils mangent différemment! Si vous avez besoin de plus d'activité physique, liez-vous d'amitié avec quelqu'un qui fait du jogging. Parfois cette influence n'est pas évidente, mais, croyez-moi, elle existe. C'est la raison pour laquelle vos parents vous suggéraient toujours de choisir sagement vos amis; c'est le vieux dicton: "Dis-moi qui tu hantes, je te dirai qui tu es."

Le perfectionnisme

Le plus souvent, le perfectionnisme étouffe la créativité et l'énergie et constitue une perte de temps. Si vous devez être perfectionniste, réservez cette qualité à votre spécialité ou à votre travail le plus important mais évitez qu'elle vous paralyse.

J'ai interviewé un jour une poétesse célèbre qui avait passé des années à créer des vers magnifiques tout en prenant soin de sa famille. Elle était très fière de son art ainsi que du temps qu'elle avait consacré à ses enfants, mais elle avouait que ses tâches domestiques en souffraient. Elle expliquait: "J'ai analysé ce qui était le plus important, rendre mes enfants heureux et écrire de la poésie ou frotter le plancher de la cuisine. J'ai décidé que puisque mon temps était limité, je choisirais ma créativité et des relations étroites avec mes enfants."

Si vous avez décidé de devenir une spécialiste dans un domaine, essayez par tous les moyens d'y exceller, mais ne laissez pas votre perfectionnisme devenir une obsession dans les autres domaines de votre vie. Vous en souffririez — et les autres aussi — et il ne vous resterait jamais assez de temps pour jouir de la vie.

Rappelez-vous que vous n'êtes pas la femme bionique. Il est plus important de devenir une experte efficace qu'une experte qui, pour exécuter chaque tâche à la perfection, y consacrera de longues heures.

Une experte efficace considérera toutes les tâches qui doivent être exécutées et accomplira d'abord la plus rentable sur les plans du temps et de l'énergie. Ensuite, elle passera aux autres.

Il est important de faire de votre mieux en donnant le meilleur de vous-même chaque fois. Après tout, quand trouverez-vous le temps de refaire cette tâche? Il est préférable d'être un expert qui trouve la meilleure façon de faire un travail plutôt qu'un expert qui trouve le meilleur travail à faire.

L'art de déléguer des fonctions

Récemment, je lisais un article sur un écrivain pigiste qui avait gagné 100 000$ en un an uniquement en vendant ses articles. Quand j'en ai parlé à mes amis écrivains, ils ont aussitôt voulu connaître le secret de son succès. En relisant son histoire, nous avons vu qu'il maîtrisait l'art de déléguer des fonctions. Au lieu d'essayer de tout faire lui-même, il avait engagé une secrétaire pour taper ses manuscrits et s'occuper de sa correspondance. Il utilisait les services de deux jeunes assistants de recherche avides de travail et heureux d'avoir l'occasion de se perfectionner. Ainsi il était libre d'utiliser son temps là où il était le plus productif. Il augmentait sa productivité et ses revenus.

On citait un jour le regretté John Cash Penney qui disait que le fait d'avoir compris qu'il ne pouvait pas tout faire lui-même l'avait grandement aidé. En déléguant des fonctions et en étant bien assisté, il a été capable de créer et de développer des centaines de magasins, de donner à des milliers d'employés la chance de travailler et de prospérer personnellement.

Henry Ford était un maître dans l'art de déléger des fonctions. Un jour, il se trouva engagé dans une poursuite judiciaire parce que quelqu'un l'avait traité de fou. Il expliqua qu'il n'était pas fou car il avait cinq boutons sur son bureau. Lorsqu'il ne pouvait pas répondre à une question, il pressait un bouton et un expert entrait pour répondre à sa question. Il expliquait qu'il pouvait engager des experts à un prix très raisonnable pour l'aider à être plus efficace.

Dans mon travail, je croyais autrefois que je devais tout faire moi-même. Résultat, mes progrès étaient lents. Quand j'ai décidé de devenir maîtresse plutôt qu'esclave de mon temps, j'ai réalisé qu'une délégation de fonctions appropriée était la meilleure façon d'augmenter ma productivité.

Quand vous vous préparez à déléguer, décidez d'abord ce que vous devez faire de votre temps. Vous pouvez vous poser des questions comme: "Comment puis-je être plus efficace? Quelles sont mes plus grandes forces? Quelles sont les contributions particulières que je peux fournir?"

En second lieu, demandez-vous: "Qu'est-ce que je fais maintenant qui puisse être confié à quelqu'un d'autre?" Ne faites rien que quelqu'un d'autre peut faire pour vous. Une fois que vous avez les réponses à ces questions, il vous faut bien comprendre ce que sont les principes de la délégation de fonctions.

Voici une méthode à suivre lorsque vous demandez à quelqu'un de faire quelque chose pour vous:

1. Assurez-vous que la personne à laquelle vous confiez un emploi ou une tâche est consciente de l'importance relative de son travail. Assurez-la de votre confiance totale et de votre respect et faites-lui savoir combien vous comptez sur elle pour réussir.

Il suffit parfois de donner le bon titre à l'emploi pour stimuler l'estime que quelqu'un a de lui-même et faire en sorte qu'il soit fier d'occuper son poste. Mon assistante administrative avait commencé à travailler pour moi comme dactylo. Plus tard, elle voulut qu'on la considère comme ma secrétaire. J'ai remarqué qu'elle n'aimait pas vraiment ce titre non plus, aussi ai-je fait d'elle mon assistante puis finalement mon assistante administrative. Selon le registre de la compagnie, elle est toujours dactylo, mais elle et moi savons qu'elle est davantage. Sa satisfaction la rend plus productive, plus responsable et plus efficace.

2. Organisez une réunion préalable d'orientation pour jeter les grandes lignes des diverses exigences de la tâche ou du poste et fournissez à la personne le matériel et l'information nécessaires. C'est le moment de préciser à cette personne le niveau de performance auquel vous vous attendez.

Il est particulièrement important de se rappeler ce principe quand on traite avec les enfants. Trop souvent nous les amenons à l'échec parce que nous négligeons d'enseigner et de communiquer efficacement. Il faut parfois un peu d'ingéniosité pour que le message passe.

Une mère voulait apprendre à sa fille de quatre ans à dresser la table à l'heure du dîner. Afin de la préparer et d'assurer le succès de l'enfant, elles se sont assises ensemble et ont collé des images montrant la table une fois dressée. L'enfant avait alors un modèle précis à suivre. Il est également important de donner à nos employés le même genre d'exemple strict à suivre.

3. Ayez toujours à l'esprit le résultat final. Malheureusement, beaucoup de parents et d'employeurs mettent davantage l'accent sur les méthodes que sur les résultats. En fait, les méthodes deviennent parfois l'objectif. Lorsque vous déléguez des fonctions, ne vous attendez pas à ce que l'autre les remplisse exactement comme vous le feriez. Il peut arriver qu'il vous surpasse.

Dans mon travail, je dis à mes assistants et associés quels sont mes objectifs, puis je les encourage à manifester leur potentiel en se servant de leurs habiletés et de leur jugement. Si les objectifs sont bien compris, la personne à laquelle on confie une tâche devrait avoir autant de liberté que possible.

4. Fixez un engagement et une échéance et voyez à ce qu'ils soient respectés. Que vous traitiez avec des enfants, des collègues, des gardiennes ou le jeune homme engagé pour tondre la pelouse, il devrait toujours y avoir une surveillance du travail. En fin de compte, vous êtes la personne qui délègue et vous êtes responsable de la productivité des autres.

5. Donnez des encouragements et des récompenses selon la qualité du travail accompli. Ne déléguez jamais de fonctions sans récompense. Naturellement, les adultes doivent être bien payés pour leur travail; en général, plus vous êtes généreux sur le plan pécuniaire, plus vous obtenez en retour.

Les récompenses n'ont pas toujours à être rémunérées. Le rédacteur en chef d'un journal disait à ses employés que si chacun avait rempli ses obligations le vendredi midi, ils pouvaient prendre leur après-midi de congé. Chacun ayant tout intérêt à achever son travail, il y a ainsi plus de collaboration entre les employés.

Une bonne façon de déterminer combien vous voulez payer est d'évaluer l'importance de cette tâche pour vous. Par exemple, je paie bien ma gardienne pour le travail qu'elle fait parce que le bien-être de mes enfants dépend d'elle. Je dois m'assurer qu'ils ont les meilleurs soins possibles afin d'avoir l'esprit tranquille.

Vous voulez un beau jardin et une pelouse bien tondue. Le jeune voisin peut fort bien accepter de tondre votre pelouse et de tailler vos haies pour une somme minime, mais vous n'obtiendrez peut-être pas la qualité désirée. Si c'est vraiment important pour vous, engagez un professionnel et payez en conséquence.

Les enfants ont aussi besoin d'être récompensés pour leur travail. Certains parents paient en argent, d'autres utilisent des encouragements comme: "Quand tu auras fini de passer l'aspirateur, tu pourras aller jouer chez tes amis", "Si tu m'aides à nettoyer la cour, je t'aiderai à faire une nouvelle robe", "Quand la vaisselle sera faite, nous pourrons aller au cirque ensemble".

Au début, la délégation de fonctions demande plus de temps et comporte des risques. Il faut du temps pour entraîner des subordonnés et des enfants et il y a un risque parce qu'ils peuvent ne pas faire le travail comme vous le voulez. Mais une réalité s'impose à la plupart d'entre nous: *à moins de déléguer des fonctions, nous n'aurons pas le temps d'atteindre nos buts et nos objectifs principaux!*

Que déléguer? Les ressources et les besoins sont différents pour chacun. Examinons certaines tâches et activités.

Les tâches domestiques

S'ils sont bien entraînés, les enfants peuvent constituer la meilleure aide. Nous avons le devoir d'apprendre à nos enfants à avoir soin d'eux-mêmes quand nous ne serons plus auprès d'eux. Si nous aimons vraiment nos enfants, nous ne leur donnerons pas tout ce qu'ils demandent, mais nous pouvons leur apprendre à se servir de leur énergie pour obtenir ce qu'ils veulent. Des objectifs trop faciles à atteindre ne font qu'affaiblir le caractère des enfants et ils ne sauront pas répondre à leurs besoins futurs.

Une précaution: si vous déléguez ces fonctions à votre conjoint, n'attendez pas la perfection; soyez simplement reconnaissante de sa bonne volonté.

Les courses

Je connais une femme qui a une affaire prospère: elle fait les courses pour les gens de son voisinage. Si aucun service de ce genre n'existe près de chez vous, les enfants, des étudiants de niveau secondaire et les secrétaires peuvent s'occuper de détails de ce genre.

Conduire les enfants

Encore là, engagez un adolescent fiable ou un étudiant pour conduire les enfants à leur cours de danse ou à leur pratique de sport. Si vous n'en trouvez pas, essayez de partager cette tâche avec d'autres parents.

Se tenir au courant des nouvelles

Le président a à son service quelqu'un qui lit les journaux et l'informe de l'actualité. Je connais une jeune mère de famille qui a décidé de faire de même. Elle a délégué cette fonction à ses adolescents qui préparent chaque jour un résumé des nouvelles et le lui présentent au repas du soir. Ainsi, ses enfants se tiennent au courant des événements et elle peut consacrer ce temps à d'autres activités.

Personnellement, je n'ai ni le temps ni le goût de lire le journal. Auparavant je le lisais d'un bout à l'autre, par peur et de paraître ignorante de l'actualité mondiale; pour quelqu'un qui travaille dans le domaine des communications, c'est embarrassant. J'avais à peine fini le journal du matin qu'arrivait celui du soir. J'ai calculé que ma lecture me demandait environ une heure par jour. En outre, la lecture des reportages relatant les cas d'enfants maltraités, les viols, les meurtres, l'inflation ou la crise de l'énergie me déprimait. Je crois que le fait de commencer ma journée avec des idées noires n'était ni sain ni productif. Maintenant je regarde rapidement le journal pour avoir une idée générale de l'actualité et mon assistante encercle les articles relatifs aux domaines dont nous discutons à mon émission de télévision et qui sont susceptibles de m'intéresser. Je suis persuadée que je laisse passer beaucoup de choses mais je ne suis pas sûre que ce soit un mal. J'écoute les nouvelles quelques minutes à la radio et à la télévision mais je m'arrange pour avoir d'autres activités en même temps. Je trouve qu'il faut vraiment peu de temps pour se tenir au courant, surtout si vous écoutez les gens discuter.

Le ménage du printemps

Si vous ne pouvez vous permettre une femme de ménage régulière, recourez à des professionnels pour le ménage du printemps, ou engagez un adolescent du voisinage pour vous aider. Vous donnerez ainsi à un adolescent l'occasion d'apprendre quelque chose et de gagner un peu d'argent.

Une réception

Si possible, engagez un traiteur, ou même une voisine réputée pour sa lasagne. Vous pourrez passer plus de temps avec vos invités et profiter de la réception.

L'entretien de la cour

Si vous pouvez engager un professionnel, faites-le. Sinon des adolescents vous aideront. Vous pouvez aussi faire pousser une pelouse facile d'entretien.

Le lavage

Envisagez la possibilité d'envoyer les chemises et autres articles exigeant plus de soins à la blanchisserie. Une femme avouait avoir repassé des chemises pendant sept ans avant de se rendre compte du coût minime de la blanchisserie si l'on considère le temps ainsi épargné. Si vous pouvez vous permettre cette dépense mais êtes encore hésitante, sachez que les vêtements lavés professionnellement durent plus longtemps et ont une meilleure apparence. Votre temps sera plus utile s'il est consacré à des activités plus gratifiantes.

En conclusion, souvenez-vous que le temps, c'est de l'argent. Si vous passez tout votre temps à faire des petites tâches au jour le jour qui pourraient être déléguées aux enfants ou à un employé pour un peu d'argent, vous n'aurez jamais le temps de poursuivre votre carrière ou de gagner le million de dollars dont vous rêvez.

La délégation de fonctions vous permettra aussi de consacrer plus de temps aux choses que vous aimez le plus dans la vie. Elle enseignera à vos enfants le sens des responsabilités et elle donnera à d'autres une chance de développer leurs talents, leurs habiletés et leurs capacités.

Je n'oublierai jamais cette personne qui disait: "Ne pas déléguer, c'est comme acheter un chien de garde, l'amener à la maison et faire la surveillance en jappant soi-même."

Nous apprenons en passant à l'action

La seule façon de devenir champion de tennis c'est de jouer au tennis. Nous pouvons en entendre parler, lire sur le sujet et regarder les autres jouer, mais tant que nous ne développerons pas nos propres habiletés, nous ne serons que des spectateurs. Il en va de même de l'organisation du temps. Vous pouvez lire ce livre et étudier ce que d'autres experts ont à dire sur le sujet, mais tant que vous ne mettrez pas vous-même ces principes en pratique, vous ne deviendrez jamais maître de votre temps.

Aux pages 230 à 234, vous trouverez plusieurs exercices conçus pour vous aider à planifier, à éliminer ce qui n'est pas essentiel et à déléguer des fonctions. Si vous travaillez sérieusement dans tous ces domaines, vous commencerez à disposer de plus de temps pour jouir de la vie et, qui plus est, vous pourrez vous épanouir.

5

Laissez libre cours à votre imagination

*"Avant de pouvoir faire quelque chose
on doit être quelque chose."*
Goethe

Si votre bonne fée entrait soudain chez vous et disait en agitant sa baguette magique: "Pendant vingt-quatre heures tu peux vivre selon ta fantaisie!", vous sentiriez-vous préparée à cette expérience?

Il peut vous sembler difficile de vous situer par rapport à votre objectif d'ensemble, mais vous devez vous analyser si vous voulez progresser.

Une jeune femme qui participait récemment à mon atelier me disait après le cours qu'elle avait appris à se préparer personnellement. "Quand j'étais jeune, je voulais désespérément devenir Miss Amérique. Chaque année, je regardais le grand spectacle à la télévision et au moment où la nouvelle reine était choisie et où Bert Parks chantait sa chanson, je me précipitais devant le miroir de ma chambre et je me dévisageais en me disant: "Un jour tu seras sur ce plateau et tu sentiras la couronne sur ta tête."

"Les années ont passé et j'ai continué à regarder le spectacle annuel et à rêver. Je me suis informée des exigences du concours officiel, j'ai parlé avec des filles qui avaient participé à des épreuves éliminatoires régionales et j'ai essayé de temps à autre divers régimes et programmes d'exercices pour améliorer mon apparence.

"Lorsque j'ai finalement atteint l'âge requis, j'étais très excitée à l'idée de participer au concours local. Mon désir était toujours aussi grand et je pensais que je n'avais qu'à participer au concours pour qu'il se réalise. Comme je me trompais! J'ai découvert que certaines filles avaient travaillé plus fort pour développer leurs talents. Elles avaient passé plus de temps à perfectionner leur image et elles avaient acquis plus d'assurance et de confiance. Je suis revenue à la maison sans avoir gagné. J'ai alors réalisé que je n'avais pas perdu face aux autres mais face à moi-même. Je restais convaincue que je possédais les qualités requises pour être Miss Amérique. Je n'avais tout simplement pas passé assez de temps à m'y préparer. J'ai résolu dès ce moment que je ne subirais jamais plus de défaite par ma faute.''

La différence entre
rêver et vous préparer

Le principe de la préparation personnelle est un des éléments les plus importants pour transformer un rêve ou un but en réalité. Même si la représentation et le rêve peuvent vous aider à poursuivre votre objectif, ils ne sont efficaces que lorsqu'ils sont associés à un bon travail.

Un conseiller d'une grande université disait récemment qu'il y avait très peu de compétition pour les emplois bien rémunérés. "Les offres d'emploi offrant de bons salaires, de l'avancement et beaucoup d'avantages sociaux demeurent dans le tiroir de mon bureau pendant des mois, expliquait-il. Les étudiants veulent les meilleurs emplois mais ils ne veulent pas devenir ces personnes qualifiées que la plupart des compagnies recherchent.''

La Bible nous dit que nous ne pouvons pas mettre du vin nouveau dans de vieilles bouteilles. Ainsi en est-il des buts et des rêves. Vous ne pouvez pas les réaliser tant que vous n'avez pas développé la personnalité, les habiletés et les forces nécessaires à leur accomplissement.

Récemment, une jeune femme arriva à mon atelier avec un but et un problème. Son but était de sortir de l'endettement. Son mari, qui était médecin, avait gagné beaucoup d'argent, mais il avait décidé de reprendre ses études afin de se spécialiser. Ses ressources en étaient réduites mais les factures continuaient d'arriver.

Puisque son mari allait être très accaparé par ses études au cours des trois prochaines années, je lui ai conseillé de tenter de réduire ces dettes.

Son expérience antérieure lui permettait d'occuper un emploi d'enseignante, de consultante de mode ou de couturière. Toutefois, malgré ses capacités, il lui manquait un outil important: une personnalité. Elle avait tous les talents et la formation requise pour réussir financièrement, mais elle n'avait aucune assurance, aucune confiance en elle-même.

La dernière fois que je l'ai vue, elle m'a dit avoir accepté un emploi de réceptionniste à temps partiel à 3,10$ l'heure. C'est très peu si on considère ce dont elle est capable, mais tant qu'elle ne voudra pas développer la personnalité qui lui manque, sa possibilité de gagner de l'argent sera limitée.

Changer n'est jamais facile. Il est souvent difficile de développer de nouvelles habitudes et de nouveaux comportements et ça peut parfois être passablement frustrant. Dans un sens, nous devons nous départir d'un certain confort, mais le changement est une nécessité lorsque nous poursuivons de grands objectifs et de grands rêves. Parfois nous devons perdre du poids ou arrêter de fumer ou faire du jogging. Parfois nous devons apprendre à contrôler notre caractère ou à exprimer nos sentiments. Et parfois nous devons retourner à l'école et abandonner notre emploi actuel afin de nous préparer un meilleur avenir. Le courage nécessaire pour opérer ces changements dépend en grande partie de notre volonté de nous améliorer et de nous épanouir. Notre attitude envers nos projets immédiats et notre enthousiasme sont toujours importants.

J'ai récemment entendu l'histoire amusante d'une jeune femme qui voulait attirer l'attention d'un jeune homme. Elle l'avait remarqué sur le campus depuis des semaines mais n'avait jamais pu le rencontrer. Elle était sur le point d'abandonner quand un ami la persuada de faire un tout petit travail. Son ami lui suggéra de découvrir cinq choses concernant le jeune homme: 1) sa couleur préférée, 2) son aliment préféré, 3) ce qu'il aimait faire de ses moments libres, 4) s'il préférait les blondes, les brunes ou les rousses et 5) ce qu'il aimait lire.

La jeune femme commença à faire ce travail. En parlant avec des amis communs, elle apprit que sa couleur préférée était le vert, qu'il adorait la tarte aux pacanes, qu'il aimait aller pêcher les samedis matins, qu'il préférait les rousses et qu'il aimait lire Keats.

La jeune femme savait dès lors comment procéder. Elle passa du châtain clair au roux, elle acheta un chemisier vert, elle alla à la bibliothèque pour bien connaître Keats et elle rentra chez elle faire cuire une tarte aux pacanes.

Le samedi matin suivant, elle se leva à quatre heures, enfila son jean et son nouveau chemisier vert, prépara un lunch (en incluant la tarte aux pacanes), emporta un exemplaire de Keats et prit sa canne à pêche. Elle trouva un endroit confortable et lança sa ligne juste comme il arrivait sur les lieux. Vous pouvez imaginer la suite! Ce fut le commencement d'une longue histoire.

Prenez le temps de passer en revue les exigences que vous imposent la poursuite de vos objectifs. Essayez de devenir aussi précise que cette jeune fille. Si vous visez un poste important dans une grande compagnie, faites une petite recherche. Découvrez exactement ce qu'ils exigent. Sachez quelle sorte de cadres ils ont engagé dans le passé. Essayez de devenir la sorte de personne qu'ils veulent. Si vous voulez devenir un meilleur parent pour vos enfants, parlez avec eux. Découvrez quelles qualités ils apprécient le plus chez vous. Veulent-ils que vous passiez plus de temps avec eux ou que vous prévoyiez plus de sorties familiales? Vous n'avez pas à sacrifier votre propre personnalité et votre caractère afin de vous améliorer.

Une fois ces exigences clarifiées, prenez la ferme résolution de vous transformer. Voici six méthodes très efficaces qui peuvent vous aider à devenir ce que vous aimeriez devenir.

Méthode 1: *vous préparer au succès*

Rappelez-vous votre excitation lorsque le vaisseau spatial Appollo II a aluni et lorsque des hommes ont pu, pour la première fois, marcher sur la lune. C'était incroyable qu'une simple machine puisse quitter notre planète et se rendre si loin.

On m'a raconté que lorsque Neil Armstrong était un jeune garçon jouant dans son carré de sable, sa mère sortit le chercher pour le dîner. Il tenait dans sa main un petit avion jouet. Comme elle s'approchait, il dit: "Maman, un jour je vais voler vers la lune." Elle dit qu'elle n'en avait jamais douté.

Bien que le voyage dans l'espace ait suscité énormément d'intérêt, c'est le décollage qui a demandé le plus d'énergie.

Nous transformer, nous débarrasser des mauvaises habitudes constitue une entreprise du même ordre. C'est la mise à feu, la rupture avec notre vieille personnalité et la tentative de développer une nouvelle habileté qui est la chose la plus difficile. John Crogan, consultant en techniques de vente, rappelle cette vieille énigme:

Je suis votre fidèle compagnon. Je suis votre meilleur allié ou votre fardeau le plus lourd. Je vous pousse en avant ou je vous mène à l'échec. Je suis à vos ordres. La moitié des tâches que vous faites peuvent me revenir et je les ferai rapidement et correctement. Je suis facile à administrer, vous avez à peine besoin d'être ferme avec moi. Montrez-moi exactement comment vous voulez que quelque chose soit fait et je le ferai automatiquement après quelques leçons. Je suis à l'origine de tous les succès, et hélas aussi de tous les échecs. J'ai permis à certains de devenir grands. Et à d'autres d'être des ratés. Je ne suis pas une machine mais j'en ai la précision et je possède l'intelligence de l'homme. Vous vous servez de moi pour votre profit ou pour votre ruine, je n'ai aucune préférence. Prenez-moi, entraînez-moi, soyez ferme avec moi et je soulèverai des montagnes pour vous. Soyez mou avec moi et je vous détruirai. Qui suis-je? Je m'appelle habitude.

Les gens qui ont du succès en prennent l'habitude. Ils apprennent à vivre une expérience réussie puis ils répètent l'expérience encore et encore. Nous choisissons d'abord nos habitudes, puis ce sont nos habitudes qui nous choisissent.

Malheureusement, nous sommes souvent prêts à entreprendre mais rarement à terminer. Nous commençons un régime rigoureux le lundi mais nous l'avons oublié deux jours plus tard. Nous prenons la résolution de nous lever plus tôt pour faire meilleur usage de notre temps, mais nous semblons incapable de sortir du lit dès le premier matin. Graduellement, les échecs s'accumulent et, au lieu d'avancer, nous nous enfonçons de plus en plus profondément dans la frustration, le remords et la misère. Il est pourtant possible d'éviter ces échecs si on connaît sa compétence et si on est prêt à s'améliorer peu à peu. Voici un exemple:

Une jeune fille entreprend avec enthousiasme des cours de piano mais elle se décourage bientôt lorsque le professeur lui demande de pratiquer une heure par jour. Après quelques tentatives avortées, elle commence à se plaindre à ses parents et elle abandonne après quelques semaines.

Le professeur, les parents et l'enfant s'asseoient ensemble pour une consultation: "Combien de temps de pratique es-tu prête à consacrer au piano?" demande le professeur à l'enfant.

L'enfant réfléchit bien et décide finalement qu'elle peut accorder vingt minutes par jour au piano, dix minutes le matin et dix minutes l'après-midi.

Le professeur accepte la proposition de la fillette et réduit ses exigences. Il demande à la jeune fille de n'apprendre que trois morceaux pour la semaine suivante.

Lorsque l'enfant revient à son cours, elle a parfaitement appris ses trois morceaux et son calendrier de pratique indique vingt minutes de pratique sérieuse chaque jour.

Graduellement, son professeur ajoute un peu de temps de pratique et quelques morceaux. Bientôt l'enfant apprend à composer ses propres chansons. Trois ans plus tard, elle participe au récital annuel. Elle joue ses propres mélodies, elle entend les applaudissements de l'auditoire et, en sortant de scène, elle est fière d'être une vraie musicienne.

Imaginez ce qui serait arrivé si le professeur avait insisté pour qu'elle fasse son heure de pratique chaque jour. La jeune fille aurait sans aucun doute abandonné et son talent de compositeur ne se serait jamais révélé ni développé.

En tant que parents, nous avons la sagesse d'inculquer de bonnes études à nos jeunes enfants. Malheureusement, nous avons tendance à oublier cette sagesse quand il s'agit de nous-mêmes. Nous nous attendons à jouer des sonates après notre première leçon de piano, à frapper la balle comme un champion la première fois que nous nous trouvons sur un court de tennis et à réussir un soufflé alors que nous savons à peine faire bouillir de l'eau.

Dans les domaines que vous voulez changer ou développer, considérez les promesses que vous pouvez tenir. Si vous voulez arrêter de fumer, demandez-vous si vous pouvez tenir une heure sans allumer une cigarette. Si vous voulez améliorer votre vocabulaire, essayez d'apprendre seulement un mot nouveau par jour. Ne prenez jamais une résolution que vous ne pouvez pas tenir, mais soyez toujours fidèle aux promesses que vous faites. Vous parviendrez graduellement à échapper à cette force d'inertie qui a fait obstacle à votre épanouissement pendant si longtemps.

Méthode 2: apprendre à faire des choix positifs

Afin de réussir dans nos nouvelles habitudes, nous devons apprendre à faire des choix positifs lorsque nous avons à prendre des décisions. Malgré ce que certains peuvent croire, affirmer que les individus jouissent de la liberté de choisir leur voie ne relève pas de la rhétorique.

Avez-vous jamais pensé à ce que le mot *choix* signifie exactement ou au nombre de choix que vous faites chaque jour? Choisir signifie s'arrêter, prendre du recul, réfléchir puis déterminer quelles seront nos actions et nos réactions. Choisir signifie exercer notre liberté mais aussi accepter la responsabilité de nos gestes et refuser de blâmer les autres et les circonstances.

On dit que le bonheur consiste à faire les bons choix. Vous seule êtes en mesure de le faire.

Les tenants de l'analyse transactionnelle prétendent que nous disposons d'un "moment propice" pour choisir notre façon de réagir à tout stimulus extérieur. Durant ce moment critique, ou bien nous ignorons notre don, ou bien nous permettons à notre esprit de faire le bon choix parmi les douzaines de réponses disponibles.

Examinons notre façon de répondre aux nombreuses situations chargées d'émotivité que nous rencontrons tout au long de la vie. Notre façon de maîtriser la jalousie, l'humiliation, la colère, le rejet ou la frayeur influence notre capacité de régler un problème ou d'atteindre un but.

Henry Hines, sauteur et coureur de classe internationale, raconte un incident amusant au cours duquel il avait dû se mesurer aux talents de sa jeune soeur.

Il semble que Henry a grandi avec une soeur pour qui tout était facile. Chaque fin de semaine, elle arrivait à la maison avec toutes sortes de médailles et de décorations soulignant ses prouesses en athlétisme alors que l'aîné ne rapportait aucun trophée.

Finalement, la jalousie de Henry l'incita à défier sa soeur au cinquante mètres. Au lieu de prouver sa supériorité, il se fit battre à plate couture! Henry dit: "C'était une atteinte à ma fierté et tout le monde pendant des semaines s'est moqué de moi."

Imaginez-vous le "moment propice" de Henry et demandez-vous comment vous auriez réagi dans une telle situation. Le jeune garçon aurait pu décider devant ce seul échec, qu'il ne deviendrait jamais un athlète. Il aurait pu se retirer. Il aurait même pu garder une rancune éternelle contre la personne qui l'avait humilié.

Heureusement, Henry prit une sage décision. Il décida de se joindre à l'équipe d'athlétisme. Au collège, Hines est devenu un athlète de renommée internationale détenant plusieurs records mondiaux. Plusieurs croient que ceux qui arrivent au succès ont, à un moment de leur vie, souffert de discrimination, d'un sentiment d'infériorité ou de critiques sévères. La réussite peut résulter d'un profond besoin de passer du négatif au positif.

Le fait que des gens puissent répondre de façon positive à des situations stressantes renforce la validité du concept de la liberté d'action.

À la fin de mes études secondaires, on m'avait conseillé de ne pas poursuivre d'études universitaires. Très gentiment, une conseillère m'avait dit que "je n'étais pas faite pour ça". Elle faisait ressortir que je n'avais pas la préparation nécessaire et que ma famille n'avait pas les moyens de payer mes études plus longtemps.

Ma mère essayait aussi de me dissuader d'aller à l'université. Elle affirmait qu'un diplôme universitaire était une perte de temps pour une future épouse et mère. Elle m'expliquait qu'il est impossible de poursuivre une carrière lorsque les enfants naissent. Je ne pourrais pas remplir ces deux tâches. Je me souviens aussi avoir entendu dire: "N'essaie pas d'être au-dessus de ta condition."

Mon ami, étudiant en génie à l'université, croyait aussi que c'était une impossibilité pour moi. Lui aussi me faisait remarquer que je n'avais jamais tellement aimé l'école et que l'université demandait beaucoup d'efforts et de détermination.

J'aurais pu écouter tous ces discours négatifs et abandonner mes projets, ou bien je pouvais satisfaire mon désir d'apprendre davantage. J'ai décidé de satisfaire mon désir. En moins de trois ans, j'ai obtenu un diplôme universitaire qui demande normalement quatre ans d'études et je me suis mariée à ce brillant étudiant désigné plus haut. J'ai combiné le mariage, la maternité et ma carrière avec beaucoup de succès en me rappelant cet énoncé célèbre de Calvin Coolidge:

ALLEZ-Y

Rien au monde ne peut remplacer la ténacité. Le talent ne suffit pas: rien n'est plus courant qu'un homme de talent sans succès. Le génie n'y peut rien: c'est presque un proverbe de dire que le génie n'est jamais récompensé. L'éducation non plus: le monde est plein d'épaves instruites. Seules la ténacité et la détermination sont toutes-puissantes. Le slogan "Allez-y" a résolu et résoudra toujours le problème de la race humaine.

À chaque instant, nous devons faire des choix, même si les situations auxquelles nous sommes parfois confrontées risquent d'ébranler notre confiance. Nous pouvons répondre positivement ou négativement à toute situation donnée. Nous pouvons observer notre régime même si notre belle-mère nous offre un morceau de tarte appétissant ou arrêter de fumer même si tout le monde fume dans la pièce. Si nous nous sommes promis de réagir positivement à toute situation négative, nous devons, comme Henry Hines, rester dans la course, et même face à l'échec et à l'humiliation.

Vous découvrirez que la discipline dans un domaine facilite la discipline dans d'autres domaines. Voyez par exemple le travail acharné d'athlètes qui passent des centaines d'heures à s'entraîner pour perfectionner leur habileté. Un employeur éventuel est impressionné par une personne capable de tant de travail, de consécration et de discipline.

Méthode 3: que votre honneur passe avant votre humeur!

Vos bonnes résolutions peuvent être mises en péril par des situations sociales contraignantes, mais aussi par votre pessimisme. Afin de vous transformer pour le mieux, vous devez apprendre à contrôler votre esprit, à effacer le pessimisme, le sentiment de découragement et le désir d'abandonner et de démissionner. Cela vous semble impossible? Ça ne l'est pas. Je connais de nombreuses personnes qui réussissent et qui affirment que la capacité de contrôler leurs pensées et leurs besoins est la seule chose qui leur a permis d'arriver au sommet dans toute situation.

Votre but est peut-être d'observer un régime assez longtemps pour perdre vingt livres. Vous y arrivez pendant dix jours, mais tout à coup survient un revers. Le onzième matin vous montez sur le pèse-personne et vous constatez que vous n'avez pas perdu un gramme depuis quatre jours. Vous avez tellement essayé. Vous avez suivi votre régime à la perfection, mais maintenant le découragement s'installe. Comme vous entreprenez votre journée, une douzaine de possibilités et d'images vous traversent l'esprit.

"Abandonne!" dit une voix. "Fais-toi plaisir: il y aura une foule d'autres régimes à essayer la semaine prochaine."

"Peut-être n'es-tu pas capable de perdre du poids" dit une autre voix. "Pourquoi ne pas démissionner et accepter ton corps tel qu'il est?"

Une autre voix dit: "J'ai faim. Tout le monde prétend que ce régime donne des résultats mais ça ne marche pas. Juste pour le prouver, je vais me gaver!"

Maintenant, arrêtez-vous un moment. Chassez ces idées et répétez à haute voix: "*C'était une pensée intéressante mais ce n'était qu'une pensée. Je m'aime trop pour démissionner et échouer. Je vais faire quelque chose pour m'aider à réussir.*"

Sortez ensuite et faites-vous plaisir. Allez chez l'esthéticienne ou allez nager à la piscine. Commencez la lecture d'un bon roman, allez faire une longue promenade ou faites du jardinage, mais ne vous laissez pas envahir par des idées noires, car elles briseront votre détermination et vos chances de succès. Je le répète, il faut cent minutes pour effacer chaque minute de pessimisme.

Méthode 4: augmenter votre pouvoir grâce à la représentation

Un pianiste de concert de réputation mondiale avoua un jour qu'il détestait pratiquer. Il avait étudié le piano sept ans seulement avant d'entreprendre sa carrière et il s'assoyait rarement devant le clavier même pour une brève séance. Lorsqu'un intervieweur l'interrogea sur le peu de temps qu'il consacrait à la pratique de son instrument, il répliqua: "Je pratique dans ma tête."

Nous pouvons accomplir beaucoup "en pratiquant dans notre tête". En fait, lorsque nous combinons la représentation positive et le travail, nous pouvons presque toujours garantir nos succès. Toutefois, la représentation doit être associée au travail.

On m'a un jour parlé d'un jeune homme, paralysé à la suite d'un accident d'automobile. Il demanda à son infirmière de placer sur son lit un graphique représentant le clavier d'une machine à écrire. Il ne savait pas taper mais il avait toujours voulu apprendre. Il étudia ce graphique durant des mois tout en suivant une thérapie pour recouvrer l'usage de ses bras. Plus tard, il demanda à une autre infirmière de lui apporter une machine à écrire car il voulait écrire une lettre. Elle ne savait pas qu'il n'avait jamais tapé auparavant et elle répondit immédiatement à sa demande. Il lui demanda de vérifier sa vitesse. À sa première tentative, il réussit à taper trente-huit mots à la minute sans faute. Remarquez qu'il s'agissait de sa première tentative observable, mais il tapait mentalement depuis des mois. Il s'était représenté son index frappant certaines touches, la position de ses mains sur le clavier, le mouvement du pouce, etc. Il avait pratiqué mentalement grâce à la représentation longtemps avant qu'il ne touche la machine à écrire.

Le cas d'un golfeur prometteur qui avait été mobilisé et envoyé au Vietnam juste au moment où il devait participer aux tournois professionnels, est lui aussi intéressant. Des amis croyaient que son absence diminuerait ses capacités de golfeur. Lui aussi s'inquiétait de ne pas avoir l'occasion de pratiquer mais il voulait être en mesure de participer aux tournois en revenant de son service. Chaque jour, il pratiquait mentalement ses coups de golf pour conserver son habileté. Lorsqu'il eut terminé son service et qu'il joua à nouveau au golf, il fut étonné de constater qu'il s'était amélioré. Ses amis n'arrivaient pas à le croire. Il se qualifia facilement pour un tournoi. En réalité, il n'avait jamais arrêté de pratiquer son golf. La représentation lui avait même permis d'améliorer son jeu.

La représentation n'est pas seulement de la rêverie. Elle consiste à imaginer précisément comment nous voulons agir ou réagir à un événement futur. C'est un exercice de créativité. Les coureurs passent parfois une demi-heure à s'imaginer dans la course avant la compétition. Je connais un homme d'affaires accompli qui passe quelques minutes à imaginer le succès de sa démarche avant d'aller rencontrer un client important. Les gens qui ont du succès imaginent toujours ce qu'ils désirent. Ils emmagasinent de nombreuses expériences positives dans leur subconscient. Les gens sans succès se représentent et imaginent seulement ce qu'ils ne veulent pas voir arriver. Ainsi ils n'ont pas enregistré de succès antérieurs auxquels se référer au moment où ils sont appelés à agir.

Avant de sortir du lit le matin d'un séminaire, d'un atelier, d'une conférence ou d'un enregistrement de télévision, je me représente mon travail exactement comme je veux qu'il soit. C'est une façon efficace de me préparer. Je vois les réactions de l'auditoire et j'entends les applaudissements. Je me vois en train de conclure avec un sentiment de satisfaction.

De plus, je me représente un corps parfait ne souffrant d'aucun mal. Je sens l'énergie et la force m'envahir. Je me promets que je vais être heureuse et productive aujourd'hui. N'est-il pas étonnant de voir la facilité avec laquelle nous pouvons satisfaire nos attentes?

Vous pouvez utiliser la représentation positive pour vous aider de bien des façons. Vous pouvez combattre la faiblesse, améliorer votre image de vous-même, accroître votre motivation et dépasser vos limites.

Si je me sens timide ou peu sûre de moi dans une situation sociale, je me représente comment une de mes amies agirait en pareille circonstance. Elle est plus communicative, sociable et enthousiaste que moi en présence d'étrangers. Je m'entends converser à sa façon avec les étrangers et poser les mêmes questions intéressantes qu'elle pour briser la glace et entretenir la conversation. Ceux qui m'ont vue agir ainsi ne peuvent se douter que je suis timide. J'ai toujours prôné l'authenticité, le respect de la per-

95

sonne. Toutefois, les gens qu'on admire constituent une source d'inspiration dont on peut profiter.

J'utilise aussi la technique de la représentation lorsque j'ai une entrevue difficile ou controversée à mon émission de télévision. Je m'imagine que je suis Barbara Walters dont j'admire beaucoup l'habileté comme intervieweuse. Je me la représente menant l'entrevue. Je suis étonnée de ma performance, ou devrais-je dire, de celle de Barbara!

Je lisais récemment un article sur un homme qui avait fumé régulièrement pendant trente ans. Il fumait de vingt à trente cigarettes par jour. Un jour, au réveil, il a constaté qu'il n'aimait pas fumer. Il n'a pas essayé d'arrêter immédiatement mais il a commencé à prendre quelques notes. Combien de cigarettes étaient vraiment bonnes? Les réponses variaient, mais habituellement il n'en aimait que deux ou trois, et seulement une ou deux bouffées.

Il décida de se représenter n'aimant pas du tout la cigarette. Après environ six semaines, il découvrit que l'image qu'il avait de lui-même changeait. Il passait de: "Je suis un fumeur" à: "Je suis un non-fumeur". Trois mois plus tard, il avait cessé de fumer pour toujours.

Nous agissons selon les exigences de notre propre image. Si nous voulons changer notre comportement, nous devons d'abord travailler à changer l'image que nous avons de nous-même. Peut-être n'êtes-vous pas du genre à vous affirmer, peut-être manquez-vous de courage pour vous défendre. Au lieu de vous attaquer à votre comportement, travaillez plutôt à améliorer votre image. Prenez du temps pour vous représenter vous-même en train de vous affirmer dans diverses situations. Si vous pratiquez cette technique quotidiennement, vous apprendrez graduellement à agir avec assurance presque sans effort conscient.

La représentation positive est un des outils les plus puissants dont nous disposons pour nous aider à opérer les changements que nous désirons. Nous commençons à peine à mesurer les effets bénéfiques qu'elle a sur les performances, le comportement et même la santé. Je crois que ce type de thérapie sera de plus en plus utilisé dans le traitement des maladies. Trop de recherches ont mené à des résultats positifs. Nous ne pouvons ignorer son potentiel dans le processus de guérison.

Méthode 5: obtenir l'aide d'experts

Comme nous l'avons vu au chapitre 3, il est impératif d'avoir de bons modèles quand nous tentons d'atteindre un but ou de réaliser un rêve. Même si ces modèles peuvent ne pas avoir accompli exactement ce que nous tentons, leur exemple peut toujours nous aider à nous sortir des moments difficiles. Ils peuvent s'avérer utiles surtout lorsque nous essayons de nous changer et de nous améliorer.

Récemment, je parlais à un homme qui a beaucoup de succès dans la vente d'automobiles. Arrivé en Arizona les mains vides, il est devenu depuis un des plus importants hommes d'affaires de Phoenix. Je lui ai demandé comment il avait fait. Il m'a expliqué: "Quand j'ai commencé dans le domaine de l'automobile, j'étais impressionné et même effrayé par certaines personnes, des employeurs ou quelques hommes d'affaires, que mon travail m'amenait à rencontrer. J'avais l'impression qu'il ne me serait jamais possible de les dépasser. Je ne parvenais pas à croire que je pourrais faire ce qu'ils faisaient, gagner ce qu'ils gagnaient ou assumer d'aussi lourdes responsabilités.

"Cependant j'ai continué d'étudier ces personnes. J'ai regardé leurs activités et j'ai essayé de m'imaginer faisant ce qu'ils avaient fait en comparant ma méthode à la leur. Après un certain temps, je me suis convaincu que je pouvais faire certaines choses aussi bien que les autres et j'ai saisi toutes les occasions de prouver ma capacité.

"Quand j'ai découvert que je pouvais faire une partie de leur travail aussi bien qu'eux, j'ai senti que je pourrais faire le reste également. Peu à peu, j'ai bâti ma confiance. J'ai découvert qu'il suffisait de partager l'ensemble en petites parties. J'ai atteint mon objectif et j'ai fait miennes leurs valeurs et leurs capacités."

Dans mes ateliers, j'ai conseillé à mes participants de s'inspirer constamment de quelqu'un qui a déjà atteint le but qu'eux-mêmes visent. J'ai pu apprécier les résultats de cette méthode de nombreuses fois. Une jeune femme me disait être capable d'observer son régime parce qu'elle imaginait toujours sa conférencière du *Weight Watcher* en train de l'aider à préparer chaque repas. Une autre femme disait qu'elle était capable de se discipliner à écrire chaque jour parce qu'elle s'imaginait Erma Bombeck assise chez elle en train de faire la même chose. J'ai même connu une femme qui disait avoir eu une grossesse heureuse parce qu'elle gardait à l'esprit son amie qui venait d'avoir des jumeaux. Elle disait: "Si cette femme a été capable d'avoir des jumeaux, je peux accoucher sans peine d'un enfant." Et naturellement elle l'a fait!

Recherchez les plus grands experts dans le domaine où vous voulez exceller. Vous serez étonnée de voir que les gens qui ont du succès sont avides d'en partager le secret. Les gens s'enrichissent en enrichissant les autres. Ils ont atteint le sommet grâce à d'autres personnes. Ils accepterons de vous donner des conseils.

Méthode 6: *l'engagement total*

Jusqu'ici, nous avons traité de plusieurs façons susceptibles de vous aider à changer, mais la meilleure méthode est de loin l'engagement, *l'engagement total*. Nous pouvons atteindre à peu près n'importe quel but si nous avons pris le bon engagement.

Il nourrit notre enthousiasme et nous oblige à recourir à notre créativité. Il nous protège de l'échec final parce qu'il ne nous permet pas de démissionner. Des miracles peuvent se produire grâce à notre engagement. Je connais un homme qui a échoué trois fois aux examens d'entrée à l'école de droit mais qui a finalement réussi. S'il n'avait pas pris l'engagement formel de devenir avocat, il est certain qu'il n'aurait pas persisté. Billie Jean King avait pris l'engagement de devenir une grande championne de tennis alors qu'elle pesait une centaine de livres de trop et qu'elle portait des verres très épais. Elle a atteint son but. Je connais d'autres personnes qui ont subi des accidents, des pertes et toutes sortes de revers propres à décourager les plus vaillants. Grâce à leur détermination et à leur engagement, elles ont continué pour remporter beaucoup de succès.

Il est toutefois important de prendre les bons engagements. Ils peuvent être différents selon les diverses situations. Un engagement qui commence par: "Je ne ferai jamais plus..." peut fort bien marcher pour un individu qui veut arrêter de fumer mais il conduit à l'échec celui qui veut suivre un régime. Il est parfois préférable de dire: "Peu importe ce qui arrive, je n'abandonnerai pas mon objectif." Cet engagement permet une certaine flexibilité et assure notre succès.

Votre engagement doit correspondre non seulement à la lettre mais à l'esprit de votre but. Supposons que vous vous engagiez à étudier deux heures chaque jour jusqu'à l'obtention de votre diplôme, est-ce que cela garantira votre succès? Avoir un livre ouvert devant vous ne garantit pas que vous en assimiliez le contenu. Cependant, si vous faites ces deux heures d'études dans l'esprit de votre engagement — c'est-à-dire en voulant apprendre quelque chose — vous avez une bonne chance de réussir.

Encore une fois, rappelez-vous que l'engagement, l'engagement total de changer, est notre meilleur atout dans la marche vers le succès. C'est un des aspects les plus importants dans la poursuite de nos buts et dans la réalisation de nos rêves.

Il est maintenant temps de commencer

Vous disposez maintenant de six façons très efficaces de changer ou d'améliorer n'importe quel trait de votre caractère ou de votre apparence physique, mais *aucune de ces méthodes ne fonctionnera si elle ne suscite pas chez vous d'enthousiasme*, ou si vous ne vous consacrez pas à votre désir.

Goethe écrivait: "Si vous perdez cette journée à flâner, vous ferez la même chose demain et après demain. L'hésitation amène les retards et les jours sont perdus en lamentations. L'action: il s'y trouve du courage, de la magie. Une fois en route, l'esprit se réchauffe. Commencez votre travail et le monde sera plus complet."

La pensée précède l'énergie

Vous devez commencer à opérer des changements *maintenant*. N'attendez pas le mois prochain ou même lundi prochain. Commencez aujourd'hui, à cette heure, à cette minute. Le changement se manifestera à travers les gestes posés. Dans la section pratique (pages 214 à 216), vous trouverez plusieurs exercices pour vous aider à démarrer.

6

Laissez votre environnement travailler pour vous

"Nous construisons nos maisons, puis nos maisons nous construisent."
Winston Churchill

Votre environnement correspond-il à vos goûts? Vous y sentez-vous à l'aise, ou bien vous étouffe-t-il? Le fait d'y vivre entrave-t-il vos projets?

Pour répondre à cette question, j'aimerais que vous jouiez au détective. Faites semblant d'être un détective et furetez dans votre maison comme un étranger qui essaierait de découvrir quelle est la personne qui vit là. Ouvrez les armoires et les tiroirs. Jetez un coup d'oeil dans le réfrigérateur et dans le four. Regardez les meubles, les tapis, les draperies et les tableaux sur les murs. Étudiez l'état général de la maison, le désordre ou l'ordre qui y règne. Examinez l'organisation de l'espace, l'éclairage et les couleurs. Comment vous sentez-vous dans cet environnement? Complétez votre inventaire, puis répondez aux questions suivantes:

1. Cette personne perd-elle beaucoup de temps à chercher ce dont elle a besoin?
2. Est-ce que ses outils sont près des endroits où elle travaille?
3. Les objets utilisés fréquemment sont-ils rapidement accessibles?
4. Les surfaces de travail sont-elles dégagées ou encombrées?
5. A-t-elle tendance à négliger des tâches parce qu'elle n'a pas les outils appropriés?
6. L'équipement est-il en bon état ou bien demande-t-il à être réparé ou renouvelé?
7. Peut-elle se détendre dans cet environnement?
8. L'éclairage est-il adéquat ou pourrait-il causer des problèmes visuels?

Quand il s'agit de succès, la conception et l'organisation de notre environnement peut ou bien nous aider ou bien nous nuire.

Vos réponses au questionnaire et les résultats de votre enquête vous ont peut-être apporté une surprise agréable ("Oh, j'aime vraiment ma maison et mon environnement. En fait, je suis une personne assez bien organisée!") ou un choc émotif ("Est-ce que je suis à ce point désordonnée et mal organisée? Je ne sais pas si la personne qui vit dans cet environnement est la personne que je veux vraiment être!")

Une des premières choses que je dis habituellement à quelqu'un qui essaie de changer ou d'améliorer son style de vie, c'est de *commencer par changer et améliorer son environnement.* Je ne suggère pas que vous sortiez immédiatement pour acheter des tas d'objets dans le but d'impressionner vos voisins ni que vous achetiez une maison de 200 000$ dont l'hypothèque vous mènerait à la ruine. Je propose plutôt que, lentement, pièce par pièce, étape par étape, vous commenciez à organiser et à améliorer votre environnement jusqu'à ce qu'il devienne confortable et fonctionnel. Un environnement adéquat augmente votre niveau de conscience. Vivez dans le meilleur environnement possible: améliorez votre maison, conduisez la meilleure voiture possible et habillez-vous toujours avec recherche; ayez même le meilleur parfum! Tout cela contribuera à élever votre niveau de conscience. Une fois votre niveau de conscience rehaussé, vous remarquerez une amélioration dans votre vie. Vous deviendrez plus consciente et vous découvrirez bientôt que le succès devient une habitude. Votre environnement amélioré aura une bonne influence sur votre moral. Il peut s'agir d'un château dans un quartier chic, d'une ferme ou d'un petit appartement en ville. Il peut être équipé d'une grande bibliothèque ou d'une cuisine de luxe munie de toutes les commodités modernes. Toutefois, s'il n'est pas propre, organisé et s'il ne répond pas à vos besoins, il ne vous apportera jamais la satisfaction que vous recherchez. Même si on met du temps à construire la maison idéale, vous pouvez commencer à améliorer votre environnement maintenant, quelle que soit votre situation. Faire le maximum avec ce que vous avez maintenant, voilà l'objet de ce chapitre.

La liste des défauts

Dans mes ateliers, je dis toujours aux participants de commencer à améliorer leur maison ou leur bureau en faisant une "liste complète des défauts". En d'autres termes, *quels chan-*

gements pourriez-vous faire aujourd'hui qui vous permettraient d'avoir plus de succès demain*, ou qu'est-ce qui vous nuit le plus dans votre environnement actuel? Est-ce la couleur des murs? L'armoire que vous évitez d'ouvrir parce qu'elle déborde? Le manque de plantes ou de jolis objets? Peut-être vous sentez-vous frustrée parce que votre cuisine n'est pas bien équipée, ou que les robinets coulent, ou parce que vous ne trouvez jamais de crayon quand vous en avez besoin.

J'ai inclus deux exemples de listes de défauts, celle d'une femme de carrière célibataire qui partage une maison avec deux autres femmes, et celle d'une maîtresse de maison mère de trois jeunes enfants. Remarquez que beaucoup d'éléments sont en fait des détails, des choses qu'on peut améliorer en quelques heures de travail ou par une simple course au magasin. Vous remarquerez aussi que certains problèmes peuvent être corrigés en changeant des habitudes,tandis que d'autres sont inhérents à la structure de leur maison.

Liste de défauts (femme célibataire)

Je suis convaincue que je serais plus efficace et plus confortable dans ma maison:

- si mes tiroirs et mes armoires n'étaient pas toujours en désordre
- s'il n'y avait pas un désordre perpétuel sur le réfrigérateur
- si je pouvais trouver un couteau bien aiguisé quand j'en ai besoin
- si j'avais un rideau de douche d'une autre couleur et d'autres accessoires de salle de bain
- si je pouvais trouver un crayon près du téléphone quand j'en ai besoin
- si j'avais un répondeur automatique pour prendre les appels quand je m'absente
- si je n'avais pas honte de ma maison quand j'ai des invités
- si je pouvais voir quelque chose parmi les mauvaises herbes dans le jardin
- si les poubelles étaient plus grandes.

Liste de défauts (femme mariée)

Je suis certaine que je fonctionnerais avec plus de succès:

- si je n'avais pas à grimper sur le lit d'eau pour me voir entièrement dans le miroir
- si je n'avais pas à marcher autant pour préparer un repas dans notre cuisine de style campagnard
- si j'avais un four auto-nettoyant
- si mes vêtements fraîchement repassés ne se froissaient pas tout de suite parce qu'ils sont entassés dans des armoires trop pleines.
- si je n'apercevais pas le trophée de chasse de mon mari chaque fois que je me mets au lit le soir. J'aimerais aussi me débarrasser de cet appareil à laver les tapis qui est près du lit parce que je n'ai nulle part où le ranger
- si j'avais un support à revues dans la salle de bain
- si je n'avais pas à entendre ces robinets qui coulent et ces portes qui grincent tard la nuit
- s'il existait des détecteurs de fumée plus esthétiques; le nôtre a l'air d'une vieille casserole
- si je n'avais pas à prendre des messages téléphoniques avec un crayon
- si je n'avais pas à partager cette maison unifamiliale avec la moitié des enfants du voisinage.

Ces listes vous ont peut-être fait sourire, mais à combien de problèmes similaires devez-vous faire face dans votre maison? À la page 237 de la section pratique, vous trouverez votre propre liste à remplir. Cette liste devrait vous conduire directement à notre prochaine discussion: "la liste des retards".

La liste des retards

Votre liste de retards devrait inclure certains éléments qui apparaissent sur votre liste de défauts (ceux qu'il est dans votre capacité financière de changer ou d'améliorer) de même que toutes ces petites choses que vous avez remises à plus tard depuis des mois. Elle peut inclure des choses comme: faire le reprisage, les réparations, vous débarrasser de vieilles choses inutiles, réorganiser vos armoires de cuisine, nettoyer votre garage, nettoyer la cour ou peindre le salon.

À mesure que vous dressez cette liste (voir page 237 de la section pratique), afin de décider sur quoi travailler en premier lieu, analysez les raisons principales pour lesquelles vous avez remis à plus tard chacune de ces tâches. Vous n'aviez peut-être pas l'équipement nécessaire pour faire le travail. Si c'est le cas, l'achat de ces articles devrait devenir une de vos priorités. Ou peut-être que vous avez tous les outils nécessaires mais que le travail lui-même vous semble trop accablant ou désagréable. Vous pouvez résoudre ce problème en divisant le travail de manière à pouvoir faire une petite tâche chaque jour, ou en vous mettant au défi de travailler dix minutes sur un projet (en commençant par le plus difficile), ou en prévoyant une récompense lorsque vos tâches seront terminées. Naturellement, vous y mettrez plus de temps, mais il est de beaucoup préférable de procéder de cette façon systématique plutôt que de remettre ces tâches à plus tard indéfiniment. Plusieurs experts en organisation du temps appellent cette méthode "la méthode du fromage suisse": faire des trous dans des tâches accablantes ou vous imaginer que vous devez manger un éléphant. Vous y arriveriez en mangeant une bouchée à la fois.

Organiser votre environnement en vue de votre succès

Peu importe le genre de maison ou d'appartement où vous vivez, je gage que si vous me laissez passer une demi-heure chez vous, je vais vous montrer une façon de mieux organiser votre environnement, une façon qui vous mettra sur la voie du succès. Malheureusement, plusieurs maisons n'ont même pas les éléments fondamentaux. Examinons-en quelques-uns:

Un bureau à la maison

Vous méritez et vous avez besoin d'un bureau dans votre maison parce que vous en êtes l'administratrice. Vous avez besoin d'un endroit où planifier et organiser. Achetez un grand bureau, quelques classeurs et certains accessoires de bureau selon vos besoins et votre budget.

Où placer ce bureau? Vous pouvez transformer une grande armoire en bureau, en construire un sous l'escalier, dans votre cuisine, ou utiliser une des chambres à coucher. J'ai transformé ma belle et spacieuse salle à manger (dont j'avais toujours rêvé pour offrir d'élégants dîners) en salle de travail pour écrire ce livre. Pour l'instant, le livre constitue ma priorité et sa rédaction exclut les réceptions pendant plusieurs mois. Puisque mon emploi du temps et mes obligations familiales rendent ce type de loisir impratiquable pour l'instant, j'ai pensé que la salle à manger était actuellement un espace perdu et qu'elle me serait plus utile comme bureau à la maison.

Si vous regardez bien votre propre maison, je suis certaine que vous trouverez un endroit qui répond à vos besoins, même si c'est pour un projet temporaire. Des panneaux recouverts de papier adhésif placés sur des blocs de béton peuvent constituer une solution rapide, et ce n'est qu'un exemple de la créativité que vous pouvez exercer si vous avez vraiment besoin d'un coin de travail.

Le conférencier Michael Vance, qui donne des séminaires sur la pensée créative, conseille à ses étudiants d'aménager un endroit décoré de façon attrayante où ils pourront exercer leur pensée créative. Peu à peu, le simple fait de vous y installer vous inspirera des idées nouvelles.

Je vous suggère de garnir votre bureau des éléments suivants:

- Une lampe de bureau ou une suspension
- Un classeur, de format légal autant que possible
- Des chemises
- Du ruban gommé et du ruban de papier-masque
- Des bandes élastiques de toutes dimensions
- Des ciseaux
- Un bloc-notes
- Des trombones
- Des timbres-poste
- Une machine à écrire
- Du papier à écrire, carbone et brouillon
- Un aiguise-crayon
- Une règle
- Des crayons — au moins trois douzaines
- Des crayons de couleur
- Un stylo à encre noire (pour signer les lettres, etc.)
- Des cartes postales
- Une grande corbeille à papier
- Votre papier à lettres personnel (avec votre nom et votre adresse)
- Du liquide correcteur

- Des cartes d'affaires (facultatif mais très recommandé)
- Un appareil téléphonique muni d'un long fil
- Un calendrier
- Une agrafeuse

Plusieurs personnes me demandent ce qu'elles feront de leur bureau si elles n'en ont pas l'habitude. Je pense que le bureau est un endroit idéal pour planifier les repas de la semaine (si vous n'êtes pas une adepte de cette pratique, je vous assure qu'elle vous épargnera du temps), organiser les tâches domestiques, tenir et classer votre correspondance, faire le travail que vous rapportez du bureau et payer les factures; et s'il n'y a rien d'autre, ça peut être un endroit pour vous retirer à l'écart des enfants. Si vous êtes mère de famille, vous vous sentirez alors une véritable administratrice au lieu de n'être qu'une maman vingt-quatre heures par jour. C'est évidemment l'endroit idéal pour travailler au livre que chacun veut écrire.

Organiser un système de classement

Je ne pourrais pas fonctionner sans classeur; une fois que vous aurez le vôtre, celui qui conviendra à vos besoins personnels et à votre style de vie, vous vous demanderez aussi comment vous avez pu fonctionner sans cela. Si vous commencez à zéro, je vous suggère de recueillir tous les papiers qui traînent dans la maison de même que les documents importants comme les testaments, les contrats, les hypothèques et les polices d'assurance (vous pouvez aussi garder une copie de ces documents dans un coffret de sûreté) et de les classer. Regroupez-les par catégories larges, et mettez-les dans des chemises. La plupart des gens fixent des catégories trop étroites. Vous pouvez choisir un titre comme: "Souvenirs concernant les enfants" avec un sous-titre: "Travail artistique de Suzanne". Il est préférable d'avoir quelques dossiers bien remplis que plusieurs petits dossiers compliqués.

Une fois que vos chemises sont prêtes, habituez-vous à ne manipuler chaque facture, lettre, nouvelle recette, mode d'emploi concernant le lavage ou coupon-rabais qu'une seule fois. Cela veut dire que vous devrez choisir de classer ou de jeter chacun de ces articles. Vous devrez prendre une décision immédiate, ce qui vous aidera à mieux utiliser ce gros classeur rond: la corbeille à papier!

Le centre de communications

Un centre de messages ou de communications vous épargnera temps et frustration. C'est l'endroit où laisser une note à votre mari pour lui rappeler que vous l'aimez encore même si le dîner est servi en retard; c'est aussi l'endroit où inscrire les messages téléphoniques, les listes d'épicerie et les petits aide-mémoire (qui devront par la suite être transcrits dans votre carnet de rendez-vous et d'emploi du temps).

Pour créer votre centre de messages, je vous suggère d'acheter un grand tableau d'affichage en liège (plus vous êtes nombreux, plus votre tableau doit être spacieux), un calendrier comportant des cases assez grandes (même si vous utilisez votre carnet personnel, votre famille a toujours besoin de savoir ce qui se passe), beaucoup de punaises, un crayon muni d'une corde attaché en permanence au tableau et une provision de petits papiers à messages. Vous pouvez aussi afficher une liste de numéros de téléphone d'urgence et de numéros que vous appelez le plus souvent, le menu de la semaine, une liste pour noter des articles d'épicerie qui manquent et la distribution des tâches domestiques (c'est aussi une bonne place pour afficher les tâches des enfants). Suspendez ce tableau près du téléphone et encouragez tout le monde à s'en servir.

Le guide domestique

Le guide domestique est destiné aux enfants, à votre époux (au cas où vous vous absenteriez un certain temps), à la gardienne, au surveillant ou à toute personne qui peut avoir à circuler dans votre maison. Incluez-y une liste de numéros de téléphone d'urgence (le vétérinaire, l'hôpital, les pompiers, la police, le plombier, un voisin, les grands-parents, le prêtre, etc.), des directives d'utilisation des principaux appareils et un inventaire des tâches de la semaine, par exemple: la collecte du vieux papier le mercredi, le laitier le lundi, la leçon de piano de Suzanne le jeudi, etc. Je recommande aussi d'y inclure une formule d'urgence présignée pour l'hôpital au cas où un enfant se blesserait et aurait besoin de soins médicaux immédiats.

Les accessoires de l'auto

Si vous prenez certaines précautions, vous éviterez peut-être des situations embarrassantes. Commencez par vous munir de quatre jeux de clés et gardez-les dans des endroits qui conviennent dans la maison et dans votre sac à main. Cachez-en un sous un pare-choc de votre auto (dans un casier magnétique). Si vous avez déjà passé une demi-heure à chercher vos clés ou si vous les avez oubliées dans l'auto, vous comprendrez que vous pourrez ainsi épargner du temps.

Nettoyez le compartiment à gants et gardez-y un carnet d'adresses, des pièces de monnaie, des papiers-mouchoirs, des timbres-poste, un rouleau d'essuie-tout, un crayon, une lampe de poche, quelques pansements, des allumettes, des cartes postales, des petits ciseaux, des cartes d'affaires, un tournevis et du papier pour prendre des notes (pour ces moments d'inspiration qui surviennent toujours en conduisant).

Si vous avez des enfants, je vous suggère aussi de préparer une trousse à leur intention. Selon leur âge et leurs besoins, vous pouvez y garder des couches et des épingles à couche, un biberon supplémentaire, une boîte de lait, quelques jeux de voyage et peut-être une ou deux boîtes de petits biscuits. Si vous partez pour un long trajet, je vous suggère d'acheter plusieurs petits cadeaux pour les enfants qu'ils ouvriront environ tous les cent kilomètres. De nouveaux jouets retiennent leur attention plus longtemps.

Je vous suggère aussi de bien nettoyer votre voiture et de toujours la garder en bon état de route. Vous vous éviterez aussi des ennuis. Notez le numéro de téléphone d'un club automobile avec vos autres numéros et adresses.

Organiser vos espaces de rangement

Les espaces de rangement dont vous disposez seront bien en ordre si vous prenez le temps d'étudier chacun de ces espaces. Accordez-leur des points selon leur nature, par exemple 1 point aux espaces les plus utiles et les plus accessibles et 10 points à ceux qui ne sont accessibles qu'avec l'aide d'un escabeau. Examinez ensuite tous les articles rangés et accordez-leur des points de 1 à 10. Par exemple, la vaisselle et le service de couverts de tous les jours de même que les ustensiles de cuisine les plus utilisés méritent 1 point alors que le plat réservé au service de la dinde de l'Action de Grâces ou le vase en forme de lapin dont vous décorez la table à Pâques méritent 10. Toutes les autres choses sont évaluées entre 1 et 10. Après leur avoir accordé des points, rangez les articles 1 dans les espaces 1, etc. Là où c'est possible, particulièrement dans les endroits où vous passez le plus de temps, c'est-à-dire la cuisine, la salle de couture ou le bureau, essayez d'avoir vos outils et autres ustensiles à portée de la main.

Que faire si vous avez trop d'articles très utiles et trop peu d'espaces de rangement facilement accessibles? Je vous suggère de faire un croquis de votre pièce et de l'espace de rangement disponible en incluant tous les espaces inutilisés comme les murs où vous pourriez poser des tablettes ou des armoires, ou encore suspendre des contenants. Si vous voulez construire de nouvelles armoires ou d'autres espaces de rangement, vous trouverez de nombreuses idées intéressantes dans des revues ou des livres de bricolage.

L'art d'être concis: vous en tenir à l'essentiel

Je crois fermement qu'il est possible d'éliminer le superflu et de vivre dans un environnement où l'on s'en tient à l'essentiel. Vous vous sentirez en paix dans un environnement bien conçu et attrayant, et je vous mets au défi d'obtenir un tel résultat dans votre maison. Pour commencer, débarrassez-vous de tout article qui ne s'intègre pas au style et à l'ameublement de votre maison. Cachez toutes ces bouteilles et ces boîtes. Elles ne sont ni jolies ni attrayantes; leur place est dans l'armoire.

En second lieu, jetez, donnez ou vendez tous les articles dont vous n'avez pas vraiment besoin maintenant et dont vous n'aurez probablement jamais besoin. Comme disait Peg Bracken: "En cas de doute, jetez-le." J'aime me poser trois questions lorsque je classe mes choses:

1. Ai-je utilisé cet objet au cours de l'année?
2. Cet objet a-t-il pour moi une valeur pécunière, une valeur sentimentale ou esthétique?
3. Aurai-je un jour besoin de cet objet? Si oui, quand?

Il y a quelques années, j'ai décidé de m'attaquer hardiment au nettoyage de tous mes tiroirs et placards, à commencer par mes garde-robes. Je n'ai pas changé de taille depuis l'adolescence et j'avais pris l'habitude de garder tous mes vieux vêtements préférés. Cependant, au lieu d'améliorer ma garde-robe et de satisfaire mes besoins actuels, ils ne m'étaient d'aucune utilité et prenaient beaucoup d'espace.

J'ai décidé d'ouvrir la "première boutique de vente annuelle Davenport" puisque je ne pouvais pas me permettre d'aller m'acheter une nouvelle garde-robe. Comme les vêtements étaient portés plus longs depuis quelque temps, j'ai envoyé des cartes postales à toutes mes amies plus petites, leur disant d'amener également leurs amies de petite taille, j'ai préparé des rafraîchissements, j'ai mis en vente quelques-uns de mes livres de recettes et je me suis lancée à l'assaut de mes acheteuses avides. J'avais accroché un prix à chaque objet, y compris mes chaussures, sacs à main, perruques, foulards et bijoux. À la fin de la journée, j'avais tout vendu sauf une vieille blouse de madras que j'avais depuis le collège (et à laquelle il manquait un bouton) et une jupe portefeuille que j'aimais beaucoup et que je n'avais pas portée depuis des années (elle aussi avait besoin de raccommodage). J'étais plus riche de 840$ et j'ai pu m'acheter une toute nouvelle garde-robe répondant mieux aux besoins de mon style de vie actuel. En outre, j'avais une garde-robe vide à ma disposition. Cela m'a donné un véritable sentiment de puissance.

Cette expérience m'a enseigné deux choses importantes:

1. Ce qui est vieux pour vous peut être nouveau et utile pour quelqu'un d'autre. Plutôt que d'essayer de recycler des vieilleries pour qu'elles conviennent à un nouveau style de vie, il est parfois préférable de laisser quelqu'un d'autre en profiter et de repartir à neuf. Vous pourrez de la sorte satisfaire vos goûts actuels.

2. L'idée même de repartir à neuf avec de nouveaux vêtements ou même de nouveaux linges à vaisselle peut s'avérer très vivifiante et vous donner l'impression que vous faites des progrès. C'est une bonne façon de briser la routine.

Sacs à main, poches et serviettes

Lors de mes séminaires, j'offre un prix à la femme qui peut retirer le plus d'articles superflus de son sac à main. Il est étonnant de voir tout ce qu'on transporte et qui ne sert à rien. Je crois qu'aucune femme n'arrivera au succès dans une profession si elle ne réduit pas le contenu de son sac à main au strict minimum. Les hommes aussi devraient jeter un regard critique à tout ce qui encombre inutilement leurs poches et leurs serviettes.

Gardez votre maison propre:
la poussière n'est pas de la saleté

Maintenant que vous avez organisé et amélioré votre environnement, il est temps de parler un peu d'entretien général et de nettoyage. Nous détestons toutes le travail domestique. Nous nous plaignons, nous l'évitons et nous en souffrons. Très peu de gens apprennent à l'aimer. Toutefois, c'est une tâche qui ne peut être négligée.

Vous êtes-vous jamais arrêtée à vous demander pourquoi on le déteste tant? Probablement parce qu'il nous réclame jour après jour, entre le travail au bureau et les courses, et qu'on n'en voit jamais la fin. Il est prosaïque et non gratifiant. Il existe plusieurs façons d'envisager le problème. Par exemple, vous pouvez passer un mois par année à faire le gros nettoyage du printemps ou vous pouvez choisir de nettoyer à fond une pièce par mois. La première méthode est éreintante mais elle vous procure une grande satisfaction lorsque c'est fini. La seconde implique que vous avez de gros travaux de nettoyage à faire chaque mois, mais ils ne prennent que quelques minutes chaque jour.

Je connais une femme qui a opté pour la première méthode. Plutôt que d'attaquer le ménage seule, elle a décidé d'y associer ses enfants. Pour stimuler leur enthousiasme, elle leur a suggéré d'organiser une grande réception quand le travail serait fini. Chaque enfant a invité quelques-uns de ses amis. De plus, la famille entière a choisi une récompense collective pour la maison. Pour les encourager tout au long du mois, elle a fait jouer les disques préférés de chacun et elle leur a servi leurs mets préférés à la fin de chaque session de nettoyage. À la fin du mois, le grand ménage du printemps était fait, la réception a été un succès, et une nouvelle table de billard complète le décor. Vous voudrez peut-être mettre sur pied un projet semblable avec votre famille.

Cependant, une fois le nettoyage général terminé, vous devrez prévoir une manière de garder la maison en ordre les onze autres mois de l'année. Je vous suggère d'abord de définir vos exigences en ce qui concerne la propreté et l'ordre puis de déterminer comment les respecter. Si vous voulez que les planchers soient balayés et la salle de bain scrupuleusement nettoyée tous les jours, vous devrez simplement y mettre plus de temps qu'une autre. Soyez honnête avec vous-même. Votre objectif actuel a-t-il plus de valeur qu'une maison sans tache? Je pense que ce qui vous impressionne chez madame Curie, ce n'est pas qu'elle ait été une maîtresse de maison impeccable, mais qu'elle ait découvert le radium. Peu de femmes ayant du succès peuvent se vanter de garder leur maison impeccable tout en menant une carrière. Qui paierait pour assister à mes conférences et qui regarderait mon émission de télévision si ma crédibilité consistait à être une excellente ménagère? Nous devons admettre qu'on accorde généralement peu de valeur à ce type de travail, et qu'il est bien mal récompensé compte tenu de l'effort qu'il exige.

Lorsque je suis occupée à écrire un livre ou une conférence ou à préparer mon émission, je me dis en riant que *la poussière n'est pas de la saleté.* Une fois que vous avez déterminé vos exigences sur le plan du ménage, divisez le travail à faire en une série de petits travaux, assignez-les à des membres responsables de la famille et fixez l'heure à laquelle vous voulez que tout soit terminé. Dans ses nombreuses conférences sur l'organisation de la maison, Daryl Hoole fait remarquer qu'"un enfant de cinq ans ne met que cinq minutes pour faire son lit avant le petit déjeuner, mais il faut compter deux heures pour obtenir le même résultat après qu'il ait mangé". Elle exige de ses enfants qu'ils aient accompli leurs tâches avant de partir pour l'école le matin. Si un des enfants quitte la maison sans avoir fait son travail, elle se rend à l'école, le sort de la classe, le ramène à la maison pour qu'il termine sa tâche puis le laisse retourner seul à l'école. Elle dit qu'elle n'a eu à le faire que deux fois au cours des dix dernières années et que ça lui a certainement épargné bien des maux de tête et des frustrations. Ces enfants ont appris à prendre leur mère au sérieux.

Une autre femme qui a trois enfants d'âge pré-scolaire essaie de prendre cinq minutes chaque matin dans chaque chambre pour ramasser et mettre en ordre avant de commencer ses tâches importantes de la journée. Elle peut alors travailler en paix sans se sentir accablée par le désordre général. Je suis convaincue que ces deux femmes ont du succès parce que toutes deux emploient un système correspondant à leur mode de vie et aux besoins de leur famille. Elles sont également conséquentes et s'assurent que les autres membres de la famille prennent tous leurs responsabilités. Essayez d'appliquer les mêmes principes à votre travail domestique et vous verrez combien de temps vous épargnerez.

Votre environnement parfait:
un survol des principes fondamentaux

Nous avons parlé de la création d'un environnement parfait en général et en détail. Mais que nous parlions de la structure matérielle de votre maison, de l'organisation ou de l'ordre, j'aimerais établir trois catégories majeures:

1. L'essentiel

Pensez aux choses sans lesquelles vous ne pouvez vivre. Si vous parlez de la maison elle-même, il peut s'agir du désir d'avoir votre propre atelier, une grande penderie ou un garage double. Si vous pensez en termes de propreté, cela peut signifier que vous ne pouvez pas fonctionner sans une salle de bain étincelante ou sans que la vaisselle soit toujours faite, ou sans que les planchers soient propres et astiqués. Chacun a ses propres besoins. Essayez d'identifier les vôtres.

2. Les choses facultatives mais hautement désirables

Désirez-vous un four à micro-ondes? Une piscine? Une maison chauffée et climatisée à l'énergie solaire? Un nouvel ameublement de salle à manger? Une nouvelle voiture? Un avion? L'acquisition de ces objets peut requérir un peu de travail mais ils sont généralement à la portée de la plupart d'entre-nous. Tenez-vous-en à votre plan et travaillez en conséquence. Pour garder constamment votre désir à l'esprit, découpez ces images en couleurs décrivant votre rêve, et gardez-les dans une chemise. De temps en temps, sortez cette chemise pour vous stimuler.

3. Les extravagances

Il y a des choses qui semblent parfois relever de la fantaisie mais qui sont quand même accessibles. Elles exigent seulement plus de travail. Peut-être voulez-vous construire votre propre écurie de course, posséder une oeuvre d'art coûteuse ou avoir votre propre salle de culture physique. Il peut aussi s'agir d'extravagances de plus petite envergure. Une femme disait vouloir des fleurs fraîches dans sa maison à l'année longue mais elle considérait qu'elle n'en avait pas les moyens à l'époque. Je ne vous propose pas des falbalas. Après tout, j'ai rêvé d'une maison qui aurait rendu n'importe qui jaloux. J'ai travaillé fort et je l'ai eue, mais ce n'était pas la première maison que je possédais et j'ai d'abord acquis les éléments de base avant le superflu. En groupant les éléments de votre environnement idéal en catégories, vous pouvez établir vos priorités et découvrir ce dont vous avez vraiment besoin pour être heureuse et avoir du succès. Travailler sur l'essentiel vous permet aussi d'améliorer votre situation dès maintenant. Par exemple, vous ne pouvez pas acheter de Rembrandt maintenant, mais vous pouvez nettoyer une armoire dont le désordre vous exaspère, mettre une nouvelle couche de peinture sur les murs de la salle de bain ou même acheter une nouvelle lampe pour améliorer votre éclairage. La même chose s'applique à votre auto. Si vous ne pouvez vous permettre d'acheter une Rolls Royce avec bar escamotable et télévision, vous pouvez au moins nettoyer votre vieille Volkswagen et l'équiper des accessoires essentiels.

La page 242 de la section pratique s'intitule: "Améliorations de mon environnement" et elle comprend trois colonnes: "Date", "Ce que j'ai accompli" et "Comment je me suis sentie". Allez à cette page, inscrivez-y la date d'aujourd'hui, mettez-vous au défi de remplir une tâche que vous aviez mise de côté puis décrivez vos impressions. Je vous assure que vous commencerez à vous sentir mieux et à mieux aimer votre environnement.

N'abandonnez pas; avancez!

Quelqu'un a dit un jour: "La perfection est un processus, pas un événement." Je rencontre parfois des gens dans mes ateliers qui ont l'attitude suivante: "Je ne ferai rien pour améliorer mon environnement tant que je n'aurai pas ma propre maison, ou tant que je ne pourrai construire la maison de mes rêves." Ainsi, ils construisent des châteaux en Espagne pendant que la vaisselle sale s'empile dans l'évier, que les armoires sont pleines à craquer et que les termites ont établi leur résidence chez eux. Sans abandonner vos rêves d'avenir, il faut vivre le présent. Jetez un regard sur ce que vous avez, soyez reconnaissante d'avoir ce que vous avez, puis commencez à trouver des moyens d'améliorer votre situation petit à petit.

La plupart des femmes qui travaillent n'ont pas la chance d'avoir une bonne épouse à la maison. Dans toutes les cultures que je connais, les femmes mariées sont principalement responsables du soin et de l'entretien de la maison. J'ai souvent dit à la blague que même si une femme est médecin, avocate ou juge, si elle est mariée, elle est toujours responsable des chaussettes et des sous-vêtements de son mari.

Étant donné les tendances économiques nationales qui conduisent de plus en plus de femmes à travailler hors du foyer, il est nécessaire que chaque membre de la famille fasse sa part des tâches domestiques. On estime que, vers 1985 seulement, une femme sur cinq n'aura pas à travailler à l'extérieur pour des raisons économiques. Les femmes ne pourront plus assumer toute la responsabilité de la maison tout en gagnant de l'argent pour des choses essentielles sans que cette double tâche ait des effets néfastes sur leur santé et leur bien-être.

Tous les membres de la famille doivent s'asseoir et examiner cette situation objectivement. Maman n'est plus à la maison toute la journée pour satisfaire les besoins de chaque membre de la famille.

Une vie domestique bien organisée exige de la simplicité

Simplifiez votre vie. Ne laissez pas l'entretien de la maison vous dominer. Voici quelques idées que j'ai trouvées utiles:

- Nettoyez une armoire, une tablette ou un tiroir par jour jusqu'à ce que tout soit réorganisé, surtout dans les endroits qui vous dérangent le plus. Un élément par jour, ce n'est pas éreintant.
- Placez les objets le plus souvent utilisés sur le devant des tablettes ou des armoires.
- Remisez les articles dans les pièces où ils doivent être utilisés: les draps dans les chambres, le papier hygiénique dans la salle de bain, les verres dans le bar.
- Ayez une boîte où placer les objets qui ne servent plus. Mettez-y des objets jusqu'à ce qu'elle soit pleine. Lorsqu'elle est pleine, envoyez-la à une institution de charité avant de changer d'idée.
- N'allez jamais vous coucher avant d'avoir fait la vaisselle et ramassé ce qui traîne, journaux, revues ou jouets.
- Achetez des appareils qui vous font épargner du temps, tels que four auto-nettoyant ou réfrigérateur à dégivrage automatique.

- Placez des housses de plastique sur les chaises de la cuisine ou de la salle à manger si vous avez de jeunes enfants.
- Alignez vos poubelles.
- Rincez ou lavez toutes les assiettes immédiatement. Cela éliminera les taches difficiles à enlever.
- Si vous avez une grande maison, ou si elle a deux étages, ayez deux équipements de nettoyage. Cela vous épargne l'énergie nécessaire pour déplacer sans cesse votre équipement.
- Gardez de la petite monnaie dans la cuisine pour le facteur, le laitier, etc.
- Achetez des vêtements faciles à entretenir.
- Ayez un panier de couture à portée de la main pour faire votre raccommodage de temps en temps.
- Achetez un panier facile à manipuler qui contiendra tous vos articles de nettoyage.
- Utilisez des douillettes ou des courtepointes au lieu de couvre-lits difficiles à entretenir, surtout dans les chambres d'enfants. Encouragez vos enfants à faire leur lit aussitôt que possible même si les résultats ne sont pas absolument parfaits. (Ils apprendront si vous leur en donnez l'occasion et si vous les encouragez souvent.)
- Si votre famille préfère les nappes de tissu, achetez-en de diverses couleurs. Choisissez celles qui n'ont pas besoin de repassage. Elles peuvent habituellement être utilisées plusieurs fois avant d'être lavées.
- Gardez votre baignoire propre grâce à l'usage fréquent de mousse de bain. Avertissez les membres de votre famille de ne pas en mettre trop. C'est un produit coûteux qui peut irriter la peau.
- Gardez des produits nettoyants sous les éviers de la salle de bain et de la cuisine et exigez que les éviers soient nettoyés immédiatement après usage.
- Si vous avez plusieurs jeunes enfants, faites une marque de couleur dans leurs vêtements: utilisez une couleur différente pour chacun d'eux. Cela facilite le classement des vêtements après le lavage.

Beaucoup de livres vous donnent de bons conseils sur l'entretien de la maison. Si vous avez besoin d'aide, consultez un expert. Vous découvrirez qu'ils ont tous développé de bonnes habitudes d'organisation et de nettoyage. La loi de **Parkinson** dit que plus nous disposons de temps, plus nous sommes longs à accomplir notre travail. Faites votre possible avec le temps dont vous disposez. Rappelez-vous toujours que la poussière n'est pas de la saleté. Qui vous impressionne pour l'unique raison qu'elle garde sa maison propre?

Don Aslett, auteur d'un livre sur l'entretien de la maison propose un programme fascinant, au rythme rapide, plein d'humour, qui informe en même temps qu'il amuse (*Is There Life After Housework*, Reader's Digest Books, New York). Don Aslett a été concierge pendant vingt-cinq ans et il est maintenant président d'une société d'entretien très prospère. Il est la preuve vivante que si vous devenez le meilleur en quelque chose — même le travail domestique! — vous êtes reconnu et estimé de tous. Le chapitre que je préfère dans ce livre s'intitule: "Que pouvez-vous attendre de votre mari et de vos enfants?'' Il consiste en *deux pages blanches*. Rien... c'est exactement ce que vous pouvez espérer de la plupart des membres de votre famille. Même si c'est un exemple humoristique, il arrive souvent qu'un membre de la famille entraîne les autres à être irresponsables. On estime que seulement cinq pour cent des maris et des enfants font leur part des tâches domestiques.

7

Mettez sur pied
votre propre équipe à succès

**Il est difficile de planer comme un aigle
si vous demeurez dans la basse-cour.**

*"Montrez-moi un homme qui a atteint le succès et je vous
montrerai un homme qui a eu de l'aide pour y arriver."*
C.L. Smith

Lorsque j'ai commencé mes études en organisation du temps, j'ai décidé que je devais d'abord étudier les traits de caractère et les qualités des personnes qui, selon moi, avaient réussi. J'étais curieuse de savoir comment elles avaient accompli ce qu'elles avaient fait, et je voulais surtout savoir pourquoi ces personnes avaient été capables de vendre leurs idées et d'obtenir de l'appui dans leur travail alors que d'autres personnes tout aussi talentueuses et douées n'y arrivaient pas.

J'ai mis peu de temps à faire une importante découverte: *les gens qui ont du succès sont entourés d'une équipe à succès*, c'est-à-dire qu'ils ont un "système de soutien" constitué par les membres de leur famille, des amis, des professeurs, des entraîneurs, des voisins et des gens qui croient en eux et qui veulent les aider à progresser pour atteindre leurs buts.

Naturellement, les individus que j'ai observés avaient du talent, de l'intelligence, de l'enthousiasme et de la détermination. Cependant, avec les années, leur petit carnet d'adresses était devenu presque aussi important que les "pages jaunes", de sorte qu'ils pouvaient faire courir leurs doigts lorsqu'ils avaient besoin d'aide et porter leur attention sur d'autres aspects de leur rêve ou de leur objectif.

J. Willard Marriott, ce génie de l'entreprise, a une épouse, Allie, qui a travaillé à ses côtés depuis le début. Elle tenait les livres, percevait les recettes des restaurants et faisait cuire les tamales et les steaks.

Mais il n'y avait pas seulement Allie. Ils vivaient à Washington et ils étaient entourés de leur famille et d'amis influents. La mère d'Allie était mariée à Reed Smoot, sénateur de l'Utah et les

123

Smoot étaient heureux de présenter les Marriott à leurs nombreux amis et alliés.

Barbara Sher, auteur de *Wishcraft*, nous parle d'un autre grand gagnant qui a eu des débuts très modestes, Jimmy Carter:

"On croit généralement que cet homme a transformé sans aide sa petite ferme familiale en une entreprise d'un million de dollars. Comme il le dit, lorsqu'il est revenu de son service militaire pour prendre charge de la ferme, un groupe d'hommes s'est joint à lui. Ils ont retroussé leurs manches et ont dit quelque chose comme:

"Très bien, mon gars, la première chose dont tu as besoin c'est d'une certaine somme d'argent. Voici un prêt. Nous pensons qu'il faudra environ quatre ans avant que tu puisses le rembourser. Harry a ici une compagnie qui va te fournir les graines et le fertilisant. J'ai un coin de terre dont je ne me sers pas. Tu peux aussi utiliser ma machinerie agricole, voici la clé du hangar. Nous pouvons te mettre en contact avec les responsables la mise en marché dans toutes les villes de l'État et le vieux Sam a les camions. Maintenant, si tu as besoin de quelque chose d'autre tu n'as qu'à nous appeler, entendu? Nous viendrons faire un tour de temps en temps pour voir comment ça va."

Naturellement, Jimmy Carter avait aussi une "équipe à succès" lorsqu'il entreprit la course à la présidence. C'était une plus grande équipe, plus complexe et organisée, mais elle avait toutes les caractéristiques de celle dont il avait l'appui sur sa ferme en Géorgie.

Le compositeur Irving Berlin a commencé avec une équipe à succès constituée d'une seule autre personne. Alors qu'il était encore serveur dans le Chinatown de New York, il eut un jour une idée fantastique pour une nouvelle chanson. Il alla voir son voisin musicien, Nick, et lui demanda de l'aider. Ensemble, ils écrivirent les paroles et la musique de son premier grand succès.

Récemment, j'interviewais un ex-détenu qui a développé un talent dont il n'avait jamais pris conscience auparavant pendant qu'il purgeait sa peine de prison. Avant l'interview, il m'a dit qu'il aimerait remercier publiquement le directeur de la prison, le shérif, sa famille et tous ceux qui l'avaient encouragé et soutenu pendant qu'il était en prison. Il était reconnaissant et savait que, sans leur aide, il ne serait pas où il est maintenant. À cause de son "équipe à succès", il est maintenant reconnu comme un des artistes les plus importants du sud-ouest américain.

En ce moment, vous pensez probablement: "Je n'ai pas d'amis influents, je ne sais pas comment devenir l'amie de telles personnes (et en plus, il me répugne de me faire des amis juste pour m'en servir)." Mais arrêtez-vous un moment et pensez-y bien. Vous connaissez probablement une foule de personnes qui aimeraient faire partie d'une telle équipe et qui chercheraient à s'en adjoindre une si elles étaient conscientes de son importance pour atteindre le succès. Pour ce qui est de "se servir" des gens, vous n'hésitez pas avant de demander une tasse de sucre ou d'en prêter une à votre voisine n'est-ce pas? Bon, une "équipe à succès" fonctionne exactement de la même façon.

En premier lieu, examinons les diverses sortes d'équipes à succès qui fonctionnent actuellement dans notre société, puis nous déterminerons exactement de quel genre d'équipe vous avez besoin pour atteindre votre propre objectif.

Équipe no 1: la famille

La famille est la base du succès. Lorsqu'elle fonctionne correctement, elle constitue une des meilleures équipes que vous puissiez avoir pour vous appuyer et vous encourager. Parce qu'ils s'aiment, tous les membres de la famille s'entraident et se soutiennent.

Le meilleur exemple que je connaisse d'une équipe familiale vraiment fructueuse c'est la famille Osmond. Tout le monde connaît leur grand succès, mais peu de gens s'arrêtent à étudier les causes. En fait, ils ont commencé avec quelques objectifs très précis; dans leur cas, c'était un objectif partagé par la plupart des membres de la famille. Ils ont organisé leur équipe, pendant que les enfants étaient encore jeunes, en tenant des réunions familiales régulièrement. Chaque membre donnait son opinion et avait le droit de vote au moment de prendre une des décisions. J'ai aussi noté que les enfants ne recevaient aucune allocation. Ils mettaient plutôt en commun leurs ressources financières et ils partageaient selon les besoins. Si l'un d'eux voulait 5$ ou même 500$, et si c'était justifié, il l'obtenait. Par exemple Wayne, un des enfants les plus introvertis, avait développé une passion pour les avions et le vol alors qu'il était enfant. Il n'avait que cinq ans lorsqu'il commença à fabriquer des modèles réduits avec des vieux morceaux de bois; à quatorze ans, il demanda 700$ à sa famille pour suivre des cours de vol. Même si c'était une grosse somme, la famille savait que c'était important pour lui et elle accepta. Après avoir terminé ses cours privés et commerciaux, il a demandé un bimoteur Cessna 310 pour entreprendre sa propre affaire de vols nolisés. Ses frères ne l'enviaient pas et ils étaient heureux de lui fournir l'argent. Récemment, j'ai interviewé la famille Osmond. Les parents et les enfants s'aiment et se soutiennent de façon constante et sincère. Cette famille est un exemple à suivre.

Lorsqu'une famille partage un objectif commun qu'il s'agisse de la réalisation d'une entreprise de musique, comme c'est le cas des Osmond, de faire sa marque en politique ou même de faire le tour du monde, l'esprit d'équipe peut s'avérer extrêmement fructueux.

Mais il y a d'autres sortes d'unités familiales à succès qui fonctionnent également bien. Tout d'abord, il n'est pas indispensable de faire la même chose pour que les membres d'une famille s'aident les uns les autres à atteindre leurs buts. Je connais une famille où les parents ont des intérêts professionnels différents et où chacun des enfants à un intérêt personnel; aucun de ces individus ne partage un intérêt commun mais, à cause de l'amour qu'ils partagent, ils sont capables de se soutenir les uns les autres. Ils sont organisés, ils se rencontrent une fois la semaine pour comparer leurs notes et pour se demander ce que chacun peut faire pour les autres. Ils travaillent tous beaucoup et font des sacrifices les uns pour les autres. Ils ont adopté une très bonne idée: permettre à chaque membre de la famille d'avoir sa "journée parfaite" une fois par mois. Chacun fait tout son possible pour contribuer au succès de cette journée, s'offrant à aider aux tâches, planifiant des activités ou prêtant de l'argent à la personne dont c'est la journée.

Dans un autre cas, l'ensemble du clan familial participe au soutien financier de ses membres. En effet, tous les mois, chaque unité familiale dépose de l'argent dans un compte commun. Lorsqu'un membre est en difficulté ou s'il a un projet spécial, l'argent est là pour l'aider.

Le genre d'équipe que sera votre famille dépend absolument de vos besoins. Si vous partagez un objectif commun, vous privilégierez des liens très étroits, plus aptes à susciter l'enthousiasme. Si vous êtes plus indépendante, vous préférerez une structure plus lâche et vous travaillerez à développer des attitudes positives et serviables chez chaque membre du groupe. Peu importe quelle sorte d'équipe vous choisissez de créer avec votre famille, il existe certaines directives générales qui peuvent vous assurer le succès:

1. Organisation

Dans la plupart des cas, une organisation formelle atteint plus facilement les buts qu'elle se fixe qu'une organisation informelle. Malheureusement, beaucoup de familles n'ont pas d'organisation du tout. Je vous encourage à tenir des conseils de famille régulièrement, à discuter les questions financières et à planifier avec tout le monde, à établir des objectifs et à concevoir un plan d'action qui permettra à chaque membre de la famille de réussir.

2. Attitude positive

Dans une organisation familiale qui réussit, vous entendez rarement des phrases comme celles-ci:

"Non, c'est impossible."

"Je ne crois pas que tu as le talent pour atteindre un tel but."

"Ce serait un trop lourd fardeau."

Vous entendez plutôt des phrases comme:

"Voyons si nous pouvons trouver un moyen."

"Nous n'avons peut-être pas les ressources financières maintenant, mais si nous travaillons tous ensemble je parie que nous pourrons trouver un moyen de les augmenter."

"Je crois en toi et j'ai une confiance totale dans ta capacité. Ne t'en fais pas si tu échoues. Nous t'aiderons à te relever et à repartir."

En d'autres termes, les membres de la famille croient les uns en les autres et expriment leur confiance régulièrement.

3. Reconnaissance égale

Dans une véritable équipe familiale, les besoins de chacun sont identifiés et satisfaits. Traditionnellement, on enseignait dans certaines familles à *tout* sacrifier pour le père, ou bien les parents croyaient qu'ils devaient *tout* sacrifier pour les enfants. Dans une véritable équipe, chacun apprend à se sacrifier pour l'autre et chacun en retire des avantages.

Dans une telle unité, tous les individus sont traités comme s'ils possédaient un génie unique qui mérite d'être cultivé et exprimé. Chaque membre est encouragé à se donner totalement à ses propres objectifs et à ceux des autres.

Vous remarquerez que cette attitude s'oppose à la mode qui consiste à vouloir être le meilleur. En fait, les liens familiaux se resserreront à mesure que vous vous efforcerez d'atteindre des buts personnels plutôt que de vous relâcher. Dans une telle famille, vous apprenez à négocier. Par exemple: "Je t'aiderai à trouver un moyen de gagner de l'argent pour ton voyage en Europe si tu m'aides davantage à faire les travaux de la maison" ou: "Je serai heureuse de préparer ton plat préféré cette semaine si tu m'amènes voir cette nouvelle pièce qu'on joue en ville." Cette sorte de structure peut vous aider à atteindre aussi de grands objectifs. Prenons un exemple hypothétique.

Élisabeth, épouse et ménagère, a décidé de retourner à l'université pour décrocher un diplôme. Elle a un enfant à l'université, un à l'école secondaire et un autre qui termine son cours élémentaire. Son mari travaille. Elle a établi ses besoins ainsi:

J'ai besoin de quelqu'un pour me guider en algèbre.

J'ai besoin de quelqu'un pour préparer le déjeuner les matins où j'ai des cours très tôt.

J'ai besoin d'argent pour mes frais de scolarité et mes livres.

J'ai besoin de quelqu'un pour conduire mon plus jeune enfant à l'école.

J'ai besoin de quelqu'un pour partager le travail domestique.

J'ai besoin de périodes tranquilles pour étudier.

Les besoins d'Élisabeth ne sont pas extravagants et ils sont précis. Si elle les indiquait à sa famille lors d'une réunion, la famille comprendrait alors comment ils peuvent contribuer de façon concrète à son succès. Par exemple, l'aîné pourrait l'aider en algèbre et l'étudiant au secondaire pourrait conduire le plus jeune à l'école. Ils pourraient commencer à préparer eux-mêmes leur petit déjeuner et tous pourraient participer au travail domestique. Ils pourraient aussi mettre sur pied un commerce pour payer les frais de scolarité d'Élisabeth et réserver des "périodes de tranquillité" durant lesquelles la télévision et la musique seraient interdites.

Encore une fois, la clé pour une équipe familiale à succès c'est d'organiser, d'analyser les besoins de chacun et d'entreprendre une action positive.

Équipe no 2: les amis

Certains objectifs ne peuvent être atteints avec la seule aide du noyau familial et il faut alors rechercher de l'aide à l'extérieur. Merlyn Cundiff, conférencière, auteur, grande voyageuse et femme d'affaires accomplie, est aussi une de mes plus chères amies et une véritable source d'inspiration dans ma vie. Un jour, elle me fit une proposition intéressante. Son idée était de mettre sur pied une "organisation de bâtisseurs de gens". Elle me fit cadeau d'un magnifique anneau représentant deux mains réunies symbolisant l'amitié et le soutien. Elle m'expliqua le sens de son cadeau et son idée de devenir une "bâtisseuse de gens". Elle s'offrait à m'aider à devenir la meilleure dans n'importe quel domaine. J'aurais droit à son encouragement, ses conseils, ses contacts, ses ressources, mais surtout à son soutien; tout ce qu'elle demandait en retour, c'était que je choisisse une autre personne à laquelle je transmettrais ce que j'avais reçu. Je ne peux pas expliquer ici ce que cette aide représentait pour moi, pas tant son aide que l'effort conscient que j'ai dû faire pour être de quelque secours à quelqu'un d'autre. La chose la plus égoïste que vous puissiez faire de votre temps, votre énergie et votre talent, c'est d'aider quelqu'un d'autre à réussir. Mes propos vous surprennent peut-être. Pourtant, c'est vous, plus que quiconque, qui recevez les plus grandes récompenses. Donner aux autres vous aide à vous sentir valorisée, importante, nécessaire et utile pour améliorer la vie de nombreuses personnes. C'est la meilleure mesure du succès.

Vous n'avez pas à attendre que quelqu'un vous prenne sous son aile pour recevoir son aide. Appliquez cette idée avec quelqu'un en qui vous croyez mais qui n'est pas conscient de son potentiel et qui ne l'utilise pas. Il doit cependant s'agir de quelqu'un qui désire et qui apprécie votre aide.

Barbara Sher (l'auteur de *Wishcraft*) est thérapeute et conseillère en orientation. Elle a commencé il y a quelques années à organiser des équipes à succès réunissant des femmes. Elle a rédigé des ateliers et donné des conférences dans tout le pays à l'intention de personnes voulant atteindre leurs objectifs et réaliser leurs rêves. Elle les a aidées à réussir en les regroupant en équipes de manière à ce qu'elles puissent s'aider les unes les autres. Elle décrit ainsi le potentiel d'une telle équipe:

> Elles (les équipes) peuvent vous apporter un million de dollars, ou elles peuvent vous procurer ce que vous voulez pour 5 000$ ou 500$ ou gratuitement. Elles peuvent vous présenter à quelqu'un d'important. Elles peuvent vous obtenir une bonne ferme avec six bonnes vaches laitières. Elles peuvent vous trouver un emploi dans une nouvelle sphère d'activité sans que vous ayez à retourner à l'école; elles peuvent vous faire

entrer à l'école et vous permettre de poursuivre vos études sans qu'il en coûte un sou. Elles peuvent vous apporter le capital et les connaissances dont vous avez besoin pour mettre sur pied votre propre affaire. Elles peuvent vous aider à grimper dans l'échelle sociale. Elles peuvent vous aider à vous marier.

Le concept d'équipe à succès de Barbara Sher n'est rien d'autre que la systématisation d'habitudes d'entraide fort répandues. Par exemple, j'ai une amie qui donne des cours de piano à l'enfant d'une voisine en échange de son expérience en couture. Une autre amie, travaillant en relations publiques, échange souvent ses services avec des clients. Récemment, elle a fait de la publicité pour un couturier qui, en retour, a conçu pour elle un bel ensemble.

Je connais aussi trois compagnes de chambre à l'université qui ont décidé de mettre en commun leurs ressources et leurs talents pour que chacune puisse atteindre ses objectifs et réaliser ses rêves. Elles se sont servies de l'équipe pour lancer leur carrière, s'aider l'une l'autre à trouver un ami, meubler leurs appartements et faire des voyages en Europe.

Pour transformer cette sorte d'échanges en équipe à succès formelle, vous devez prendre de l'expansion et vous organiser.

Votre première considération devrait être le choix des membres de votre équipe. Ouvrez votre carnet d'adresses et dressez une liste des individus qui sont:

1. Des gens dont les compétences sont très recherchées

Les hommes d'affaires engagent souvent des génies créateurs même si ce sont des personnes avec lesquelles il est difficile de travailler. Ils savent que les avantages dépassent les inconvénients. Soyez capable de supporter les malaises suscités par ces personnes de génie en échange des avantages qui en découleront pour vous-même et les autres membres de l'équipe.

2. Des gens ayant un potentiel de croissance

N'espérez pas que vos supérieurs ou d'autres personnes obtenant de grands succès vous aideront à réussir. Ils ont très peu à gagner à faire partie de votre équipe. Choisissez plutôt parmi les gens de votre milieu ou parmi des personnes qui peuvent tirer profit de l'aide qu'ils vous consentent.

Andrew Carnegie, le grand philanthrope, appliquait ce principe important. Au dire de tous, dans sa route vers le succès, il s'est entouré de quarante-trois jeunes hommes dont il a fait la fortune.

3. Des gens différents de vous

Rappelez-vous que vous avez à leur demander des choses que vous ne pouvez pas accomplir seule. Abraham Lincoln, seizième président des États-Unis, réalisait l'importance de ce principe dans le choix de ceux qui ferait partie de son cabinet. Tous ses ministres étaient différents de lui et différents les uns des autres.

Le Président Franklin D. Roosevelt avait aussi compris ce principe. Dans une lettre à Henry Cabot Lodge, il écrivait: "Vous êtes le seul homme... qui, à plusieurs reprises et de toutes les façons, ait fait pour moi ce que je ne pouvais faire moi-même et que personne d'autre ne pouvait faire."

4. Des gens créateurs

Recherchez des individus qui font preuve d'optimisme, qui savent résoudre les problèmes, qui sont dignes de confiance et qui savent comment obtenir que les choses soient faites. Choisissez des personnes qui agissent avec énergie. Évitez les penseurs négatifs qui disent: "C'est impossible". Ils ne feront qu'atténuer l'enthousiasme du groupe et vous inhiber dans l'accomplissement de vos objectifs.

À la page 243 de la section pratique, vous trouverez un espace pour dresser une liste des membres éventuels de votre équipe. Une fois que vous avez dressé la liste, organisez une réception, demandez à chacun de dresser sa liste de besoins personnels en fonction de son objectif. Je vous assure du succès si vous gardez à l'esprit deux facteurs importants.

En premier lieu, incitez chaque membre à être précis dans l'expression de ses besoins devant le groupe. Voici un exemple. J'ai une amie écrivain qui cherchait un agent littéraire. Elle avait écrit deux livres et avait une bonne idée pour un troisième, mais elle avait décidé que cette fois il serait préférable d'avoir un agent littéraire pour vendre son livre à un éditeur. Elle a commencé par consulter des revues de littérature et des annuaires, mais il s'y trouvait des centaines de noms parmi lesquels il lui était impossible de choisir. Elle avait besoin d'une personne réputée dans le domaine mais qui aurait encore le temps de l'écouter.

Elle parla avec d'autres amis écrivains, leur expliquant qu'elle avait besoin d'un agent. Personne n'était en mesure de l'aider. Fina-

131

lement, elle décida de changer de tactique. Elle appela un écrivain à succès et lui demanda le nom de son agent de même que certains conseils pour l'aider dans ses démarches auprès de ce dernier. Elle composa le numéro qu'il lui avait donné, se présenta comme une connaissance de l'écrivain et commença à discuter de son projet. Ils s'entendirent et, ensemble, ils arrivèrent à placer son livre chez un éditeur.

En second lieu, servez-vous de votre équipe de façon à avoir des outils grâce auxquels vous pouvez commencer à travailler dès maintenant. Ne demandez pas à votre équipe des solutions qui peuvent vous aider dans cinq ans ou même dans cinq mois. Cherchez un fil conducteur qui vous rapprochera de votre but dès cette semaine, même s'il s'agit d'une étape infime. Comme organisatrice de votre temps, votre objectif est de réaliser votre rêve par la voie la plus rapide, la plus directe et la plus personnelle.

Voici une liste de quelques personnes ressources susceptibles de se substituer les unes aux autres:

1. Échange de services

Les équipes fonctionnent généralement mieux sur une base de troc. Par exemple: "Je prends soin de tes enfants pendant la fin de semaine où tu pars en voyage avec ton mari et tu m'aideras à poser le papier peint de ma cuisine" ou: "Je te fais une courtepointe en échange d'une pièce de macramé." Même si les membres de l'équipe ne s'attendent pas toujours à un paiement immédiat, vous devriez toujours garder cette "dette" à l'esprit de manière à être disponible au moment où les autres auront besoin de vous. L'échange de services est surtout une bonne chose si vous avez peu de moyens, du temps en trop ou s'il y a un service particulier que vous seule pouvez rendre et que vous aimeriez échanger.

Il existe toutes sortes de bonnes idées d'échanges de services dans plusieurs livres et revues. Ils vous donneront peut-être d'excellentes idées que vous avez négligé d'appliquer dans le passé.

2. Présentations et contacts

Dans son livre, Barbara Sher parle d'une expérience menée par le psychologue Stanley Milgram, prouvant combien le monde est petit. Il a démontré que si vous mettez ensemble vingt personnes et si vous leur demandez qui elles connaissent, en cinq ou six étapes, il peut se constituer une chaîne de contacts pouvant aider n'importe qui d'un bout à l'autre du pays. Autrement dit, si vous voulez entrer en contact avec une personne spécialisée en recherche généalogique des origines tanzaniennes ou si vous voulez accoupler votre perroquet d'une espèce rare avec un oiseau du même sang, vous devriez être capable de trouver votre réponse en réunissant une vingtaine de personnes. Quelqu'un connaîtra quelqu'un qui connaîtra quelqu'un qui, en fin de compte, connaîtra la personne que vous recherchez. J'en doutais un peu. Pour voir si ça fonctionnait réellement, j'ai demandé à une de mes participantes à l'atelier d'aller chez elle, de choisir dix personnes dans son carnet d'adresses et de les appeler pour savoir si l'une d'elles pouvait me présenter à Robert Redford. Le lendemain, elle me donna les noms de deux personnes qui pouvaient me faire entrer en contact avec Redford. L'une d'elles l'avait connu dans ses années de "jeune comédien en quête d'emploi" et l'autre avait travaillé avec lui dans une station de ski alors qu'elle était étudiante.

Pour m'assurer que ce n'était pas un hasard, j'ai demandé à une autre participante de faire dix appels pour voir si elle pouvait trouver quelqu'un qui connaissait quelqu'un qui pourrait m'obtenir une entrevue dans une importante série de télévision. Le lendemain, elle revint disant qu'elle avait trouvé quelqu'un qui connaissait le professeur de tennis de Johnny Carson (animateur du "talk-show" américain le plus populaire) et une autre personne qui connaissait un des recherchistes de son émission.

Aucune de ces personnes n'était célèbre. C'étaient deux maîtresses de maison de la classe moyenne vivant dans des banlieues. Comment avaient-elles ces contacts? Probablement de la même façon que vous avez des contacts dont vous n'êtes pas consciente. Même si je n'ai jamais tenté de rencontrer Redford ou d'apparaître à l'émission de Johnny Carson, cela prouve que nous détenons toutes beaucoup de renseignements et que nous sommes mieux reliées au grand monde que la plupart de nous ne le pensons. Généralement, nous n'avons pas besoin d'entrer en contact avec Robert Redford ou Johnny Carson, aussi ne faisons-nous pas l'effort conscient de penser comment cela pourrait être possible. Mais si une telle question se pose à vous, il se peut que vous possédiez des réponses appropriées. Vous vous rappelez soudain une ancienne amie qui a un jour mentionné qu'elle connaissait Robert Redford durant ses "années de survie" ou que ce type qui enseignait au club de tennis l'an dernier était l'entraîneur de Johnny Carson.

Dian Thomas, auteur de plusieurs best-sellers sur la vie en plein air, est un membre important de mon équipe à succès. Invitée à mon émission de télévision, elle commençait tout juste à lancer son nouveau livre sur le camping. En fait, c'était une des premières émissions qu'elle faisait depuis la parution de son livre. Je l'ai encouragée, lui disant que son livre aurait du succès parce qu'il était unique, visuellement attrayant, et à cause de sa capacité de démontrer ses idées à la télévision. Je lui ai conseillé de poursuivre sa promotion dans d'autres émissions à travers le pays. Mon enthousiasme était sincère et je le lui ai prouvé en l'invitant immédiatement à participer à deux de mes prochaines émissions.

Elle a suivi mon conseil et elle est maintenant une autorité nationale en matière de vie en plein air, auteur de best-sellers de même qu'invitée régulière à des émissions de télévision.

Qu'est-ce que j'ai retiré pour l'avoir encouragée? Premièrement, je me suis fait une chère et tendre amie que j'adore. En second lieu, lorsque le réseau de télévision ABC qui produit le "Good Morning America", émission regardée par plus de huit millions de téléspectateurs, a demandé à Dian de leur recommander quelqu'un qui était à l'aise devant la caméra et qui pouvait parler de camping, elle m'a nommée. À cause de notre soutien mutuel, nous passions toutes deux à la télévision sur le réseau national en même temps. Tout ce que vous faites pour aider quelqu'un peut vous être profitable, et souvent de façon inattendue.

Si vous réunissez dix ou quinze personnes possédant les importantes qualités mentionnées plus haut, elles auront les moyens de résoudre presque n'importe quel problème.

3. Les emprunts

Les équipes constituées d'amis et de voisins sont d'un grand secours lorsque vous avez besoin d'emprunter quelque chose, que ce soit une tasse de sucre, un chalet pour la fin de semaine ou un élégant porte-document parce que vous partez à la recherche d'un nouvel emploi. Pourvu que vous retourniez l'article en bon état et que vous en preniez la responsabilité totale pendant que vous l'avez, vous n'avez pas à vous en faire.

4. La main-d'oeuvre (masculine ou féminine)

Avez-vous besoin de faire repeindre la clôture de la cour? Organisez un pique-nique et demandez à tous vos amis de vous donner un coup de main. Avez-vous une tâche assommante à accomplir, comme remplir 500 enveloppes ou faire 150 téléphones pour demander des dons pour une oeuvre de charité? Demandez à votre équipe de vous aider. Vous épargnerez des centaines d'heures d'efforts.

Équipe no 3: les "super-puissants"

Les équipes à succès sont absolument nécessaires et l'une des "super-puissantes" dans le développement de telles équipes est Mary Kay Ash, fondatrice de la compagnie de cosmétiques Mary Kay. Lorsque j'ai interviewé cette femme incroyable, j'ai constaté que le secret de son succès était son désir d'aider d'autres personnes. Pendant des années, elle a dû travailler à un programme de ventes qui rapportait peu et négligeait les besoins des femmes. Elle a par la suite décidé de mettre sur pied une entreprise qui donnerait vraiment à d'autres femmes l'occasion d'obtenir un succès proportionnel à leurs efforts: une compagnie à la mesure des ambitions des femmes.

Elle est animée par le principe suivant: mettre Dieu au premier plan, la famille au second et la carrière au troisième. Chaque personne est dans les affaires pour elle-même mais non par elle-même. Pour gagner beaucoup d'argent, vous devez aider d'autres personnes à réussir. La politique étonnante de cette compagnie, qui récompense des gens pour en avoir aidé d'autres, démontre la validité de cette philosophie. Comme je l'ai déjà dit, nous nous enrichissons dans la mesure où nous enrichissons les autres.

Lorsqu'une consultante devient directrice chez Mary Kay, elle fait tout son possible pour motiver, inspirer, instruire et encourager ses consultantes ou ses recrues à faire du mieux qu'elles peuvent. La compagnie lui paie une prime proportionnelle à ses efforts. La personne qu'elle surveille et qu'elle aide à réussir lui apporte un sentiment de richesse, et Mary Kay lui en donne encore plus. Pouvez-vous imaginer plus grande récompense que d'aider d'autres personnes à réussir et d'avoir une prime pour vos efforts? Il en est ainsi de la vie. Mary Kay a seulement structuré une compagnie autour de ces principes de prospérité.

Je ne connais pas de compagnie dans notre pays qui offre plus de récompenses, de chances et d'enrichissement que cette compagnie. J'ai adoré entendre Shirley Hutton, directrice d'une importante compagnie d'envergure nationale, raconter son voyage aux côtés d'un vice-président de compagnie. Ce cadre, apprenant que Shirley travaillait chez Mary Kay, disait: "Oh, ne me dites pas que vous conduisez une de ces dégoûtantes Cadillac roses!" Shirley répondit avec fierté que même si c'était vrai, dans sa compagnie le rose était synonyme de liberté. Plus tard, elle lui demanda très innocemment: "Et vous, de quelle couleur est la Cadillac que votre compagnie vous paie?"

Combien de femmes rêvent de conduire une nouvelle Cadillac avec leur nom gravé sur le tableau de bord? Quelques-unes refuseraient cette chance si on la leur offrait, mais seulement deux pour cent des milliers de consultantes capables de gagner une Cadillac en récompense pour leur haut volume de ventes essaient d'atteindre cet objectif. C'est pourquoi c'est si facile pour celles qui concentrent tous leurs efforts et leur pouvoir. La compétition ne concerne que deux pour cent du personnel de la compagnie. Les autres n'essaient *pas vraiment*. On dit: "Les gens s'écartent toujours du chemin d'une personne qui sait où elle va." Vous n'êtes jamais en compétition avec cent pour cent de la population. Seulement deux pour cent se soucient vraiment de réussir. Ne vous sentez pas dépassée par le nombre. Seulement quelques personnes veulent atteindre le même succès que vous.

Il existe une autobiographie de Mary Kay. Je crois que c'est la plus grande histoire de succès de notre temps. Elle prouve encore une fois que si une personne a assez d'énergie, il lui est possible de s'occuper en même temps d'une famille et d'une affaire. L'énergie, la foi et l'enthousiasme démontrent qu'une personne peut être à la mesure de l'infini. Je crois que Mary Kay Ash est une de ces personnes.

William James faisait remarquer: "Une des pulsions les plus profondes de la nature humaine est le désir d'être appréciée." Mary Kay donne aux femmes ce sentiment et on m'a dit que sa compagnie emploie plus de femmes gagnant plus de 50 000$ que n'importe quelle autre entreprise dans notre pays.

Une équipe constituée d'amis peut fort bien vous conduire à cet agent littéraire ou à ce millionnaire charitable, mais si vous voulez que cet individu rallie vos rangs et vous apporte aide et soutien, vous devez vous y préparer.

Un grand nombre d'objectifs et de rêves requièrent l'appui de personnes-clés très talentueuses et puissantes. Par exemple, si vous visez un poste politique, si vous voulez vendre vos chansons à un producteur de disque, emprunter un million de dollars pour mettre en marché votre invention ou vous préparer pour les Olympiques avec un bon entraîneur, il va vous falloir de l'énergie, beaucoup d'énergie. Comment vous préparerez-vous pour présenter votre projet à la personne qui doit vous aider? Voici quelques directives:

1. Rédigez un document décrivant votre projet. À la première page, décrivez votre objectif au moyen de détails vivants. Énoncez exactement ce que vous voulez accomplir. Sur les pages suivantes, décrivez ce que vous avez déjà réalisé et ce qui vous reste à faire. Ayez le style d'un gagnant.

2. Préparez pour vous-même une liste des raisons pour lesquelles cette personne pourrait vous appuyer. Notez les avantages qu'elle retirera de cet appui. Cela vous donnera plus de confiance lorsque vous ferez votre proposition verbale.

3. Prenez rendez-vous avec chaque personne. Soyez bien préparée. Vous pouvez utiliser la liste qui suit pour mieux vous préparer à l'entrevue:

- Croyez-vous en vous-même? Dites-vous pourquoi.
- Méritez-vous la confiance des autres? Énoncez au moins cinq raisons précises pour que la banque consente à vous prêter 100 000$, ou pour que tel fabricant soit intéressé à votre invention.
- Pensez aux mauvaises habitudes "d'échec" que vous avez surmontées et aux bonnes habitudes "de succès" que vous avez développées.
- Analysez votre curriculum de succès. Établissez la liste des projets que vous avez déjà accomplis et félicitez-vous intérieurement.
- Demandez-vous si vous avez pris l'engagement de faire tout ce qui est possible pour atteindre votre objectif.

Si vous êtes satisfaite de toutes les réponses à ces questions (surtout la dernière), habillez-vous comme une gagnante, souriez et allez-y hardiment.

4. Découvrez tout ce qu'il vous est possible sur la personne que vous contactez. Quelles sont ses plus grandes motivations? Ses objectifs? Ses forces et ses faiblesses? Qu'apprécie-t-elle chez une autre personne? Possédez-vous certaines des qualités qu'elle admire? Ce membre éventuel de votre équipe doit *vouloir* vous aider. Il doit croire totalement en vous.

5. Si vous vous sentez nerveuse à l'idée de rencontrer cet homme ou cette femme, n'ayez pas peur d'admettre vos sentiments simplement. Parler de ses propres craintes est souvent une bonne façon de briser la glace et ça peut vous aider à chasser ces craintes.

6. Soyez naturelle, sincère et honnête. Faites de votre mieux, mais soyez vous-même. Regardez la personne droit dans les yeux, souriez et allez droit au but. Si vous parlez à un directeur de banque, dites-lui: "Je voudrais que vous me prêtiez 5 000$ et voici les raisons pour lesquelles..." Un de mes amis déjà mentionné, Calvin Lehew, a travaillé au bureau de direction d'une banque dans le Tennessee et il avouait que les personnes qui s'habillent le mieux possible ou respirent la confiance et l'enthousiasme sont de loin les plus susceptibles d'obtenir un prêt bancaire. Celles qui projettent peu d'estime d'elles-mêmes, même si elles ont beaucoup d'intelligence et de talent, ont peu de chances de réussir. La première impression est souvent la plus durable; soyez attentive à soigner votre présentation. Apprenez à vous vendre pour que les autres croient en vous.

7. Ne parlez pas trop. Laissez-lui une copie de votre document. Si son temps est limité, il pourra revoir votre proposition plus tard.

8. En présentant votre projet et votre demande, informez-vous de son impression: "Qu'en pensez-vous?" ou "Comment trouvez-vous mon idée?", puis écoutez-le. Dites que vous appréciez ses critiques ou ses conseils.

9. Si la personne refuse, demandez-lui pourquoi. Parfois vous pouvez corriger ou effacer ses impressions négatives. Mais si ça ne marche pas, vous pouvez approcher d'autres personnes.

Paula Nelson, auteur du best-seller *The Joy of Money*, a contacté différents éditeurs avant d'en trouver un qui voulait publier son livre. Tirez profit de vos erreurs et des refus et continuez à essayer. Si vous avez fait votre part du travail et si vous êtes vraiment une personne méritant d'être aidée, vous trouverez quelqu'un qui peut vous aider à atteindre votre objectif.

Un ami qui voulait ouvrir une école d'enseignement technique et qui avait subi des refus d'aide financière auprès d'une dizaine de maisons de prêts déclara plus tard qu'il aurait été idiot de ne pas aller en voir une onzième, car c'est là qu'il obtint finalement ce prêt.

Rappelez-vous deux mots importants: *patience* et *persistance*. On a dit un jour: "Tout vient à point à qui sait attendre." Je crois que tout vient à point à ceux qui se préparent. Une personnalité gagnante appuyée par une action positive ne restera pas longtemps dans l'ombre.

À la page 244 de la section pratique, vous trouverez un exemple de questionnaire à remplir pour chaque personne importante de votre future équipe. Examinez chaque élément sérieusement avant d'effectuer votre approche.

Épargner du temps grâce à votre équipe

Au cas où vous n'en seriez pas encore convaincue, une bonne équipe peut vous épargner du temps dans la poursuite de vos objectifs. En définissant le genre d'équipe que vous voulez mettre sur pied, examinez vos besoins. Essayez d'être aussi précise que possible. Par exemple, avez-vous besoin d'une femme de ménage? D'une secrétaire? D'une fin de semaine libre? D'un prêt pour acheter un vison? De quelques cours de grande cuisine? De plus de temps libre? Si vous ne pouvez pas accomplir ce que vous recherchez par vous-même, commencez alors à former votre équipe pour obtenir de l'aide. Je travaille actuellement à la rédaction de ce livre dans un magnifique chalet, propriété d'amis qui sont membres de mon équipe de soutien. Ils me l'ont proposé lorsque j'ai mentionné que j'avais besoin de m'isoler pour achever la rédaction de mon manuscrit. J'aurai l'occasion de leur rendre leur aide.

Même si nous avons traité de trois sortes différentes d'équipes à succès, vos besoins peuvent requérir un peu des trois, ou vous pouvez avoir besoin d'une équipe différente à chaque étape de votre progression vers votre objectif.

Rappelez-vous qu'il est aussi important de donner de l'aide que d'en recevoir. Une de mes amies avait l'habitude de dire: "Vous donnez un bout de pain et on peut aussi bien vous rendre du gâteau au chocolat." Lorsque vous recevez de l'aide, vous épargnez du temps, de l'argent et de la frustration. Mais lorsque vous aidez quelqu'un, vous en retirez une satisfaction particulière en constatant que vous avez aidé un autre individu à réaliser ses rêves.

Les femmes me demandent souvent au cours de mes séminaires quoi faire au sujet d'un époux qui ne soutient pas leurs objectifs, leurs ambitions et leurs désirs. Ce n'est pas une situation exceptionnelle. Je leur dis toujours de s'assurer du support d'une équipe à succès ou de créer un système de soutien pour obtenir l'encouragement nécessaire à la réalisation de leurs rêves. La présence de quelqu'un qui croit en vous et qui veut vous aider fait toute la différence. Qui dit que ça doit être votre époux? Peut-être a-t-il des occupations si importantes qu'il est simplement exténué à la fin de la journée? N'en attendons-nous pas parfois trop d'une personne? Très souvent, d'autres personnes peuvent être plus objectives dans leurs conseils qu'un conjoint.

8

Résoudre vos problèmes facilement et rapidement

"Vivre la solution et non le problème."
Anonyme

Il n'y a pas longtemps, je recevais la lettre suivante d'une participante à un de mes séminaires sur l'organisation du temps:

Chère Rita,

J'ai adoré votre séminaire! En fait, vous m'avez fait croire que je pouvais conquérir le monde. De retour chez moi, j'ai dressé la liste de mes rêves et j'ai commencé à faire les exercices que vous nous avez donnés. Mais je suis soudain tombée sur les problèmes, pas seulement un ou deux petits problèmes mais de gigantesques problèmes. Je crois encore aux miracles et je veux bien admettre qu'on peut tirer tout ce qu'on veut de la vie, mais je ne sais pas comment surmonter ces obstacles.

Pouvez-vous me dire pourquoi certaines personnes peuvent résoudre n'importe quel problème survenant sur leur chemin et pourquoi d'autres (comme moi) n'arrivent pas à surmonter le plus petit obstacle. J'ai l'impression de perdre beaucoup de temps. Rita, vous nous avez enseigné tout ce que nous devions savoir sur l'emploi de notre temps, sauf ce qu'il faut faire lorsqu'un problème nous bloque la route. Voici une liste de mes problèmes. Des conseils, s'il vous plait!

Sincèrement,
Une frustrée de Phoenix

Après avoir lu cette lettre et examiné la liste de ses problèmes, je me suis mise à penser très fort à l'art de résoudre un problème et à me poser des questions. D'un point de vue de gestionnaire du temps, j'ai fait trois importantes constatations:

1. Tout le monde doit faire face à des problèmes. Que vous soyez Miss Univers ou la détentrice d'un million de dollars, vous aurez toujours à faire face à des situations négatives de temps en temps.

2. Ceux qui poursuivent un objectif ou un rêve ont plus que leur part de problèmes à résoudre. En fait, vous rencontrez des difficultés chaque fois que vous essayez de progresser ou d'ouvrir une nouvelle voie. Si vous les manipulez adéquatement, vous atteindrez votre objectif. Sinon, vous resterez coincée et vous abandonnerez probablement.

3. Les problèmes font perdre du temps, beaucoup de temps! Si vous voulez être maîtresse de votre temps et votre vie, *vous devez apprendre à régler vos problèmes.*

La question est la suivante: comment y arriver? Comment passer de la maladresse à l'efficacité et la créativité? La plupart des écoles secondaires et des universités n'offrent pas de cours sur la solution des problèmes et nous ne pouvons pas non plus en obtenir d'un professeur privé, comme pour le piano, la peinture ou le saxophone. Aussi, comment pouvons-nous apprendre?

La plupart d'entre nous faisons face aux situations de la vie par la méthode des essais et des erreurs. Nous arrivons parfois à résoudre adéquatement nos problèmes en observant les autres, mais je pense qu'il existe de meilleures méthodes et j'aimerais vous les faire connaître.

Les barrières

Examinons d'abord les barrières qui nous empêchent d'être à la hauteur. Malheureusement, plusieurs sont dressées par les parents, les professeurs, les amis, le système scolaire, le gouvernement, etc. Nous avons aussi nos propres barrières mentales et émotives. Examinons-en quelques-unes.

Critique ou idées créatrices

Beaucoup de personnes préfèrent critiquer les idées plutôt que de les engendrer. Les parents et les enseignants sont parmi les pires offenseurs. Enfant, vous entreteniez peut-être le rêve de devenir millionnaire ou de résoudre les problèmes de la pollution dans le monde. Je peux parier que, si vous l'avez dit à votre mère ou écrit dans un devoir, la réponse des adultes a été: "C'est impossible." Et vous vous êtes probablement dit: "Idiote que je suis. Pourquoi ai-je eu une telle idée? Peut-être que je devrais tout simplement arrêter d'y penser."

Ainsi, plusieurs arrêtent d'y penser et perdent alors leur capacité d'engendrer de bonnes idées. Pour sa part, la personne qui résoud un problème efficacement est pleine d'idées. Elle met rarement des limites à son imagination et n'en met jamais aux stratégies possibles.

Revenons au cas de Paula Nelson. Si vous aviez l'objectif d'écrire un best-seller sur la gestion de l'argent et aussi l'ambition de devenir consultante financière pour une importante émission de télévision, vous penseriez avoir besoin d'un diplôme universitaire, peut-être même d'un doctorat en sciences économiques. Or Paula Nelson n'a fréquenté l'université que six jours. En d'autres termes, elle a découvert une autre voie lui permettant d'atteindre ses objectifs, une voie correspondant mieux à ses besoins et à ses intérêts.

Une des clés pour résoudre un problème efficacement consiste à savoir trouver la solution qui satisfait vos besoins le plus parfaitement possible. La société nous dit souvent que nous devons entrer dans un moule précis si nous voulons atteindre un objectif ou résoudre un problème. Si nous ne correspondons pas au moule ou si nous n'avons pas accès aux ressources nécessaires, nous abandonnons souvent. Nous devons déchirer cette camisole de force mentale si nous voulons vraiment régler nos problèmes.

Vouloir obtenir des résultats trop rapidement

Parfois, notre impatience à trouver une solution à nos problèmes peut nous faire perdre du temps. Nous finissons par prendre une simple aspirine pour soigner une attaque cardiaque, nous faisant ainsi plus de mal que de bien.

Laissez-moi vous citer un exemple. J'ai une amie qui souffre de boulimie. Pendant dix ans, elle a essayé les nombreux régimes proposés dans le commerce. Elle a dépensé des centaines de dollars pour ces supposés traitements-miracles et, en fin de compte, elle n'avait pas résolu son problème et était même encore plus grosse qu'au début.

Finalement, elle a décidé de régler son problème définitivement. Elle a cessé de regarder les publicités dans les journaux et les revues promettant des résultats immédiats et elle a entrepris un programme d'alimentation conçu pour changer ses habitudes et son comportement alimentaire pour la vie. Elle n'a pas perdu du poids rapidement; en fait, il lui a fallu une année entière pour atteindre son objectif, mais elle disposait alors des outils et de la discipline nécessaires pour le maintenir. Son problème était résolu.

Nous choisissons souvent des solutions rapides et à court terme pour régler de gros problèmes parce que nous voulons sortir vite du stress et de l'angoisse engendrés par une situation négative. Nous sommes si malheureuses et mal à l'aise qu'au lieu de nous servir de notre jugement nous gaspillons notre énergie et notre argent dans des traitements inefficaces. Les personnes qui résolvent un problème intelligemment apprennent à réduire le stress et la tension et elles prennent le temps de trouver la meilleure réponse à leur difficulté.

Une des meilleures façons de réduire le stress est de s'adonner régulièrement à la marche ou au jogging. Des études scientifiques ont montré que l'exercice peut changer vos structures mentales et émotives en même temps qu'il améliore votre condition physique.

Une autre façon de réduire le stress consiste à prendre conscience de son environnement physique. Afin d'apporter des réponses créatives à vos difficultés, vous avez besoin de nombreuses et de longues périodes de tranquillité. L'encombrement et le bruit distraient. Lorsque j'ai un problème à affronter, je commence d'abord par nettoyer ma table de travail. Je m'organise. Je mets de côté les projets en cours, je mets des fleurs fraîches dans la pièce et de la musique douce. Je me sens mieux dans cette atmosphère et je peux penser plus à l'aise.

Ne réservez pas la fantaisie aux enfants

Nous vivons dans une société qui nous dit que la fantaisie et la réflexion sont une perte de temps et que notre imagination devrait être reléguée aux oubliettes avec nos souvenirs d'enfance. Des experts affirment que les problèmes d'adultes doivent être manipulés avec des outils d'adultes comme la raison, la logique et l'esprit pratique au lieu de l'intuition et des bons sentiments.

Cette confiance en la pensée logique est en grande partie le produit de notre culture occidentale, mais si nous en sommes les esclaves, nous limitons nos chances d'arriver à une bonne solution.

Comme nous l'avons déjà dit, des études scientifiques ont déterminé que l'hémisphère gauche du cerveau contrôle la logique, la vie intellectuelle et les capacités analytiques alors que le côté droit du cerveau contrôle les domaines de l'art, des émotions et des aspects créatifs de la personnalité. Le côté droit de notre cerveau peut contenir une grande quantité de données et d'impressions tandis que le côté gauche ne peut stocker et procéder que de façon séquentielle.

Afin d'utiliser toutes les ressources de notre cerveau à la solution d'un problème, nous devons employer ses deux moitiés. Nous pouvons mettre de côté la raison et la logique pour brasser des idées et, une fois que nous en avons trouvé une bonne, le côté gauche de notre cerveau peut la prendre en charge, la développer, la cultiver et la raffiner pour en faire une solution facile et applicable.

La mauvaise attitude

Nous avons presque tous appris à craindre les problèmes et à les fuir au lieu de les affronter positivement pour les résoudre. Nous choisissons le plus souvent de les remettre au lendemain. Malheureusement, nos lendemains deviennent des semaines, les semaines des mois et les mois des années.

Entre-temps, nos problèmes persistent et nous nous installons dans une routine faite de chagrin et de peur.

Une des personnes les plus aptes à résoudre des problèmes est J. Willard Marriott, homme d'affaires de génie. Il est entouré d'une grande équipe à succès. Il est doué d'un enthousiasme incroyable pour éliminer les obstacles. En fait, tous ses employés ont des cartes sur lesquelles on peut lire:

1. Quel est le problème?
2. Quelle est la raison de ce problème?
3. Quelle est la solution à ce problème?
4. Quelle est votre solution au problème?

Nos attitudes sont probablement notre meilleure garantie de succès face aux problèmes parce que la pensée positive et la confiance en soi peuvent nous soutenir pour faire face aux échecs et aux moments difficiles.

Brisez les barrières

Nous pouvons briser les barrières qui nous empêchent de bien résoudre nos problèmes en en prenant conscience et en multipliant nos outils et nos ressources créatives. En examinant cette question, il m'apparaît utile de revoir les caractéristiques d'individus qui réussissent à surmonter les obstacles. Voyons-en quelques-unes:

Approfondissez votre recherche

Lorsque vous essayez de surmonter un obstacle, commencez par étudiez la situation à laquelle vous faites face. *L'ignorance conduit à l'échec.* Prenez l'exemple de Robin Cook, un ophtalmologiste de Boston devenu écrivain. Ses multiples intérêts (médecine, écriture, peinture, égyptologie, ski, basketball, surfing, planche à voile, décoration intérieure et cuisine) lui ont permis d'écrire trois romans à succès. Avant de s'asseoir devant sa machine à écrire pour commencer son premier roman, il a passé six mois à étudier plus de deux cents best-sellers afin de connaître les goûts du public. Cette connaissance lui a donné un avantage certain lorsqu'il a commencé à écrire ses histoires, et naturellement ses trois livres sont devenus des best-sellers.

Voyez la situation du point de vue d'une autre personne

Barbara Sher, auteur de *Wishcraft*, propose une idée intéressante aux personnes qui n'ont pas d'équipe pour les aider à trouver une solution à leurs problèmes. Elle leur propose de choisir cinq ou six types d'individus différents (réels ou fictifs) et d'imaginer comment ils résoudraient leur problème.

J'ai proposé cet exercice à une femme qui voulait redécorer son salon mais qui n'en avait pas les moyens financiers. Comme elle manquait d'idées et de ressources, je lui ai demandé d'imaginer comment les personnes suivantes résoudraient son problème: une princesse européenne, un décorateur d'intérieur, un enfant de dix ans, le rédacteur d'une revue et Robert Redford. Voici ce qui lui vint à l'esprit:

La princesse européenne: "Pourquoi est-ce que je n'appelle pas simplement un de mes riches amis pour plaider ma cause et lui demander de me prêter quelques tableaux et quelques meubles qu'il n'utilise pas?"

Le décorateur d'intérieur: "Lorsque j'ai redécoré le salon d'un client, je lui ai demandé si je pouvais lui offrir mes services en échange de ses vieux meubles."

L'enfant de dix ans: "Je vais aller dehors cueillir de jolies fleurs, puis je ramasserai toutes sortes de cailloux et de plantes et je les apporterai à l'intérieur. J'imaginerai le reste."

Le rédacteur de revue: "J'offrirai un espace publicitaire gratuit à une compagnie de meubles qui me fournira l'ameublement de mon salon; j'en prendrai des photographies pour un reportage spécial."

Robert Redford: "Lola et moi avons construit notre maison et je suis certain que ce ne serait pas tellement plus difficile de construire des meubles."

Entrer dans le rôle d'une autre personne vous aide à vous fermer les yeux et à imaginer son caractère dans votre esprit. Ira Progoff a proposé une technique semblable. Il demande à ses clients de se représenter une conversation avec une personne "respectée" où cet individu leur donne des conseils. En voici une brève illustration:

La personne recherchant une solution: "J'ai écrit quelques bonnes chansons et j'aimerais les proposer à des interprètes mais je ne sais pas comment m'y prendre."

Le correspondant: "Les interprètes sont des gens comme les autres et ils ne demandent qu'à jouer de la bonne musique mais ils ont tellement d'offres que votre façon de vous présenter et le moment de le faire ont beaucoup d'importance. Si vous connaissez quelqu'un qui connaît des interprètes, cela pourrait vous être utile, et naturellement les personnes qui ont du succès aiment faire des affaires avec des personnes qui réussissent bien. Vous devez donc vous comporter de cette façon même s'il vous faut faire semblant."

Vous comprenez l'idée? Naturellement, vous ne savez pas ce que telle ou telle personne réputée vous donnerait en réalité comme conseils, mais essayez simplement d'explorer de nouvelles perspectives qui peuvent vous fournir des idées pour résoudre vos problèmes.

Élargir votre prise de conscience

Edward DeBono, auteur de plusieurs livres sur la pensée parallèle, est renommé pour sa capacité de résoudre des problèmes en utilisant des techniques originales. Il suggère par exemple de choisir un objet, n'importe quel objet à condition *qu'il ne soit pas relié au problème*, et de vous concentrer sur cet objet jusqu'à ce que vous puissiez établir une sorte de connection.

J'ai proposé cet exercice à la femme qui était aux prises avec un problème de décoration de salon, lui demandant de se concentrer sur le mot *cuiller* jusqu'à ce qu'elle trouve une façon d'utiliser ce concept dans sa solution.

Sa pensée se déroula comme suit: "La cuiller me fait penser à une collection de cuillers, et cela me suggère l'idée d'autres collections. J'ai décidé soudain que je voulais présenter une sorte de collection spéciale sur un des murs de mon salon. Cela m'a rappelé que mon mari est photographe amateur et qu'il a pris des centaines de photographies. J'en ai choisi plusieurs que j'aimais, je les ai fait monter sur des cadres peu coûteux et je les ai suspendues au mur. Je suis réellement contente du résultat. En fait, on m'a fait plusieurs commentaires élogieux à ce propos."

Vous pouvez faire la même sorte d'exercice en choisissant un mot d'action et en imaginant ce qui arriverait si vous l'appliquiez à votre problème. Pour vous aider, voici plusieurs verbes d'action:

développer	rappeler	combiner	incuber
relater	adapter	étendre	éliminer
comparer	concevoir	accélérer	tester
engager	créer	ralentir	substituer
concentrer	changer	représenter	formuler
construire	recycler	clarifier	généraliser
simuler	organiser	lister	interroger
vérifier	séparer	enregistrer	imaginer
prédire	communiquer	définir	pratiquer

Tourner votre problème à votre avantage

Une foule de personnes qui réussissent ont trouvé en réalité le moyen de tourner leurs problèmes à leur avantage. Prenons Barbra Streisand, la chanteuse et actrice renommée. Elle aurait pu considérer son nez proéminent comme un défaut ou un obstacle. Elle en a plutôt fait un aspect distinctif de sa personnalité.

Il suffit parfois d'accepter les obstacles comme faisant partie de la réalité. Barbra Streisand avait le choix de transformer son nez, mais certains problèmes sont impossibles à extirper. Lorsque cela se produit, vous devez surmonter la situation ou faire un détour, ou en d'autres mots compenser.

Le meilleur exemple est celui d'Helen Keller. Elle était aveugle et sourde et elle ne pouvait changer aucune de ces conditions. Toutefois, elle a appris à s'exprimer grâce au sens du toucher et elle a ainsi atteint son but de communiquer.

Résoudre les problèmes "récurrents" ou généraux

Un bon "régleur" de problèmes analyse l'obstacle pour savoir s'il constitue le symptôme d'un problème plus général ou s'il relève d'une situation particulière exigeant une action spéciale. S'il découvre que le problème est général (c'est-à-dire s'il réapparaît souvent), il développera une formule ou un principe à appliquer à toute situation négative semblable, éliminant ainsi le stress continu et l'aggravation du problème.

Un client se plaignait récemment d'être en retard pour ses projets, ce qui lui causait de la tension et de l'angoisse. Après l'avoir interrogé, j'ai découvert que c'était un problème qui se reproduisait sans cesse, ce qui signifiait qu'il était toujours sous l'effet du stress et en retard dans ses échéances. Après avoir recherché des solutions ensemble, nous en sommes arrivés à trois principes pratiques qui redresseraient la situation de façon permanente:

1. Il pouvait se joindre au club de six heures proposé par Benjamin Franklin. Il devait prendre l'*engagement* de se lever à six heures tous les matins, utilisant ces heures matinales pour expédier ses projets. Ainsi, il ne serait pas dérangé par le téléphone ou quoique ce soit d'autre. Réalisez-vous que vous vous accordez ainsi au moins six heures de plus par semaine?

2. Il devait passer quelques minutes par jour à planifier un calendrier (tel que suggéré précédemment) de ses tâches prioritaires. Il devait ensuite prendre l'*habitude* de les exécuter en premier lieu.

3. Il devait engager un adolescent pour faire ses courses et s'occuper de sa lessive . Cela le libérerait et lui permettrait de s'occuper de projets plus importants. Il ne serait plus distrait par des détails.

De nombreux problèmes peuvent être réglés grâce à ce type de stratégie. Naturellement, les vraies situations de crise exigent d'autres types de solutions. Apprenez à déterminer les solutions les plus appropriées en identifiant à quelle sorte de problème vous faites face.

Menez une expérience contrôlée

Plusieurs psychologues, qui aident des patients à régler des problèmes, leur proposent de mener des expériences contrôlées, en vérifiant plusieurs possibilités et solutions avant d'adopter un plan d'action permanent.

Nous croyons trop souvent que nous n'avons qu'une seule chance de résoudre un problème: si nous échouons au premier essai, nous échouerons à jamais! La personne qui réussit à résoudre un problème prend rarement cette attitude. Elle aborde plutôt son travail comme un chercheur scientifique, en essayant de nouvelles possibilités, en recherchant la meilleure solution et en n'abandonnant jamais.

La clé d'une expérience réussie, c'est *le contrôle*. Cela implique que vous sachiez exactement combien de jours, de mois ou d'années durera l'expérience, combien de temps, d'argent ou d'autres ressources vous devrez investir et quand viendra le temps d'arrêter et de prendre une autre voie. Vous fixez vos facteurs de contrôle en déterminant ce que vous voulez risquer. Vous vous engagez dans l'expérience seulement quand vous êtes sûre qu'elle sera un succès.

Les expériences contrôlées fonctionnent particulièrement bien dans les domaines des relations humaines, des procédures de travail, du développement de nouvelles habitudes, d'investissements financiers et de décisions professionnelles.

Le jeu de rôle

Une autre façon d'augmenter vos chances d'arriver à une bonne solution, c'est de prévoir les résultats de votre décision en jouant un rôle. Si vous avez décidé de résoudre vos problèmes d'argent en posant votre candidature à un nouvel emploi, avant de soumettre votre candidature ou de fixer une entrevue, demandez à un ami de jouer la scène avec vous. Demandez-lui de représenter le directeur du personnel. Travaillez à éliminer vos défauts. Votre confiance en vous-même et votre habileté seront accrues lors de l'entrevue réelle.

Invitez à dîner une autre personne
qui résout bien les problèmes

Un consultant en gestion a utilisé cette technique pendant plusieurs années. Il donnait des cours dans une grande université et il invitait souvent des conférenciers venus de partout au pays pour parler à ses étudiants. Par la suite, il les invitait à dîner et dirigeait la conversation sur la consultation, leur demandant leur opinion et s'informant de leurs expériences. Il pouvait ainsi incorporer beaucoup de leur expérience à son propre travail.

Lorsque vous faites face à un dilemme sérieux, trouvez quelqu'un qui a surmonté un obstacle semblable, invitez-le à dîner et demandez-lui comment il a réussi. Il peut être en mesure de vous offrir le conseil dont vous avez besoin pour réussir.

Libérez votre imagination

Nous avons déjà parlé de l'importance de l'imagination et de l'utilisation du cerveau dans sa totalité pour le développement de bonnes idées, mais je n'insisterai jamais assez sur ce point. Les personnes qui résolvent bien leurs problèmes sont presque toujours des personnes très créatives. Elles savent utiliser les ressources et l'information disponibles pour trouver les réponses et les solutions adéquates.

Albert Einstein nous donne un exemple parfait de cette technique dans la façon dont il a développé sa théorie de la relativité. Il a recherché l'information existant sur le sujet, il l'a agencée autrement et hop! il avait bâti sa théorie. Les expériences et la recherche prouvant la validité de ses hypothèses sont venues après l'idée, pas avant.

Un autre exemple de l'usage d'une pensée très créative dans la solution de problèmes est celui d'Edward Jenner. Il a fait une des plus importantes découvertes médicales de tous les temps en se demandant pourquoi les gens avaient la variole et pourquoi les vaches laitières ne l'attrapaient apparemment pas. À partir de cette découverte il a développé un vaccin, terrassant ainsi un des principaux fléaux du monde occidental.

Une autre bonne façon d'augmenter votre capacité créatrice est de tenir un journal de vos apprentissages quotidiens. Non seulement il vous maintiendra dans "l'habitude de l'apprentissage", mais il vous fera découvrir de nouvelles réponses et de nouvelles solutions en vous permettant d'appliquer vos nouvelles connaissances à de vieux problèmes. Vous aurez aussi une banque de connaissances à laquelle vous référer pour vos tentatives créatives à venir. Le professeur d'université qui m'a proposé cette idée m'expliquait qu'il avait pu écrire un livre entier sur les relations interpersonnelles en se servant simplement des notes prises dans son journal au cours des années.

Une autre façon d'augmenter votre créativité consiste à améliorer votre vocabulaire. De nouveaux mots vous fournissent de nouvelles façons d'aborder les situations. Vous pouvez étudier un lexique ou apprendre un nouveau mot chaque jour dans le dictionnaire, ou encore essayer ma technique. J'ai un carnet de notes à portée de la main. Au cours de mes lectures et de mes conversations, j'inscris tout mot qui est fascinant ou rébarbatif. À la fin de la journée, je consulte le dictionnaire pour les mots inhabituels et je les inscris dans mon agenda.

Misez sur la chance

Les gens qui résolvent leurs problèmes apprennent aussi à miser sur la chance. En d'autres termes, ils savent que s'ils conçoivent assez de théories et s'ils essaient assez de solutions différentes, la chance sera bientôt de leur côté et ils arriveront à un moment donné au succès espéré.

Les vendeurs comprennent ce principe et apprennent à en tenir compte dans leurs négociations. Une de mes amies écrivain me disait qu'il lui a fallu neuf mois pour qu'une célébrité lui accorde une entrevue et qu'elle a dû ensuite solliciter dix revues avant de trouver un éditeur intéressé, mais elle a réussi à cause de son obstination.

Il est également bon de se rappeler l'exemple de Thomas A. Edison, ce grand scientifique. On dit qu'il a bâti 3 000 théories différentes dans le but de créer l'ampoule électrique mais que seulement deux se sont avérées fructueuses. Lorsqu'on lui demanda ce qu'il avait appris, il répondit: "Il y a 2 998 théories qui ne fonctionnent pas." Il a sans doute voulu dire que le génie était davantage une question de transpiration que d'inspiration.

Soyez ouvert à la critique

Lorsque vous trouvez une solution, demandez l'avis des autres. N'ayez pas peur des commentaires négatifs; ils critiquent l'idée, pas vous. Aucune solution ne rencontrera l'adhésion unanime de vos pairs. Attendez-vous à cela. J'enseigne dans mes ateliers à se servir efficacement de la critique en l'acceptant avec une attitude aussi positive que possible. Demandez à la personne qui critique votre solution de vous dire si vous avez fait quelque chose d'acceptable à ses yeux. Elle réfléchira à sa réponse et nuancera probablement sa pensée. Personne n'a totalement tort ni totalement raison.

Chaque fois que quelqu'un vous mentionne quelque chose qu'il n'aime pas à votre sujet, demandez-lui de vous dire ce qu'il apprécie. Vous profiterez des deux réponses. Vous aurez une meilleure estime de vous-même et l'autre aura plus de tact en faisant sa critique.

Une formule efficace pour résoudre les problèmes

Maintenant que vous comprenez certains secrets relatifs à la solution d'un problème, commençons à résoudre certaines de vos difficultés. Vous trouverez, dans la section pratique, cinq pages (245 à 249) reliées à la solution d'un problème. Sur la première page, inscrivez tous les problèmes auxquels vous faites face actuellement (le fait de les écrire vous donne un certain répit) et choisissez celui qui vous semble le plus difficile à affronter. Procédez aux exercices suivants:

Première étape: identifiez votre problème

Cela peut s'avérer plus difficile qu'il ne semble. C'est toutefois une étape essentielle pour améliorer une situation. Un médecin ne peut pas recommander un remède tant qu'il n'a pas posé un diagnostic; de la même façon, vous ne pouvez pas agir avec confiance tant que vous n'avez pas compris la nature exacte ou la complexité de votre situation.

Après avoir identifié les éléments de votre problème, notezles. Un bon énoncé de votre problème comprend plusieurs éléments: ce qui est connu (quelle information avez-vous?), ce qui est inconnu (quels sont les facteurs cachés?) et ce qui est recherché (quel objectif favorisez-vous?).

N'ayez pas peur de décrire votre problème de plusieurs façons pour faire ressortir tous ses aspects. Toutefois, après avoir noté les éléments du problème, réécrivez-les sous forme de questions.

Par exemple, au lieu de dire: "Je n'ai pas assez d'argent pour X...", écrivez "Comment puis-je obtenir X..." Remarquez que j'ai laissé le mot "argent" de côté dans le second énoncé, car en réalité c'est "X" que vous voulez et non l'argent. Il peut exister un moyen d'obtenir ce que vous voulez même si vous manquez de ressources financières. L'échange de biens ou de services constitue une façon efficace d'obtenir ce que vous désirez sans argent.

Deuxième étape: analysez
les causes de votre problème

Relever les causes de votre problème peut s'avérer efficace, surtout s'il est de nature générale. Par exemple, vous découvrez que trop d'argent doit servir à payer les factures chaque mois. Après une analyse soigneuse, vous constatez qu'une grande partie de votre salaire est englouti dans des dépenses faites avec des cartes de crédit.

Pour résoudre votre problème, vous pouvez décider de gagner plus d'argent. Toutefois, vous pourriez aussi choisir de surveiller de plus près vos dépenses faites avec des cartes de crédit. Ces deux solutions sont valables, bien que la deuxième n'élimine pas la cause de votre problème.

Troisième étape: dressez la liste
de toutes les ressources disponibles

Incluez dans cette liste vos talents, vos amis et vos habiletés. Elle vous permettra de déterminer le cadre général de votre plan d'action.

Quatrième étape: examinez
en équipe toutes les solutions possibles

Il est maintenant temps de faire appel à votre équipe à succès (ou à un groupe choisi d'amis et d'associés particulièrement aptes à résoudre un problème de façon créative) que vous invitez à une session de travail.

Ce brassage d'idées peut être simple, agréable et assez efficace. Commencez par décrire votre problème. Laissez les gens vous poser des questions afin de simplifier et de définir la nature précise des obstacles. Soyez ouverte, car ils ne peuvent vous apporter une solution appropriée s'ils ne comprennent pas tous les éléments du problème.

Laissez-les ensuite exprimer leurs idées. La critique est écartée, mais tout apport positif est bienvenu. En fait, plus les idées sont variées, mieux c'est. Les idées seront peut-être nombreuses. Ayez un crayon et du papier à portée de la main.

Finalement, chacun ayant donné ses idées, classez-les. Essayez de trouver une solution en combinant les meilleurs éléments de chaque suggestion.

Cinquième étape: considérez le facteur temps

Avant de choisir votre solution, demandez-vous: "Quelle est mon échéance pour résoudre ce problème?" Vous pouvez avoir trouvé la solution parfaite pour obtenir les 5 000$ dont vous avez besoin pour terminer vos études universitaires, mais si cette solution requiert plus de temps que celui qui vous est alloué, elle ne sera pas efficace.

Si vous ne pouvez pas combiner votre solution et votre échéance, demandez-vous: "Qu'arrivera-t-il si je ne rencontre pas cette échéance?" Il se peut que vous puissiez la reculer un peu. S'il vous faut plus de temps, prévoyez et prenez-le.

Sixième étape: choisissez la meilleure solution et tracez votre plan d'action

Votre façon de franchir cette étape est cruciale pour la solution de votre problème. C'est ici que beaucoup d'idées ne réussissent pas, non pas parce qu'elles sont mauvaises, mais parce qu'elles ne sont pas bien exécutées. Vos chances de succès augmenteront de beaucoup si vous élaborez votre plan d'action en ayant à l'esprit les résultats finals. Représentez-vous la succession des étapes en commençant par la fin. Commencez par la dernière chose que vous aurez à faire et planifiez une activité pour demain. Vous saurez que vous êtes sur la bonne piste si cette étape ouvre la porte à une réussite plus importante.

Par exemple, vous vous êtes fixé comme but de suivre des études en droit. La première question sera: "Puis-je m'inscrire demain?" Si la réponse est négative, demandez-vous pourquoi. Il se peut que vous n'ayez pas passé les examens d'entrée, mais peut-être n'avez-vous même pas la préparation nécessaire. Peut-être avez-vous besoin de suivre des cours préparatoires pour passer l'examen d'entrée, ou peut-être avez-vous besoin de leçons particulières pour vous aider à vous améliorer dans les domaines où vous êtes faible. Avant même de faire cela, il se peut que vous ayez besoin de trouver l'argent pour payer vos frais de scolarité ou d'obtenir une bourse d'études.

À aucun moment vous ne devez permettre que votre plan d'action devienne trop compliqué et éreintant. Rappelez-vous que tous les hauts faits s'accomplissent grâce à de petites actions régulières, des actions qui vous permettent de consacrer toute votre énergie à une tâche et qui sont une suite d'expériences réussies.

Septième étape: matérialisez votre décision

Connaître la solution à votre problème et faire quelque chose pour le résoudre constituent deux défis différents. Il n'est pas toujours facile de passer à l'action. Cela comporte souvent des risques. Il vous faut parfois surmonter des habitudes de paresse et d'inactivité et faire des choses que vous détestez vraiment.

Dans ce cas, je trouve ma plus grande motivation en imaginant ce qui arrivera si je n'agis pas. Vous pouvez vous poser la même question. Par exemple, si vous ne suivez pas ce régime pour maigrir dès aujourd'hui ou si vous n'allez pas passer une entrevue pour l'emploi dont vous rêvez, *à quoi ressemblera votre vie?* Pensez à ce que sera votre vie si vous ne résolvez pas votre problème. Vivre la solution vaut mieux que de vivre le problème.

Huitième étape: évaluez

Prenez l'habitude de vérifier vos progrès régulièrement. Posez-vous des questions importantes comme:

"Cette solution résout-elle véritablement mon problème?"

"Suis-je capable de respecter mon plan d'action ou est-ce que je remets continuellement les choses à plus tard?"

"Depuis que j'ai entrepris ce plan d'action, ai-je appris une meilleure façon d'atteindre le succès?"

Si vous ne rencontrez pas le succès espéré, réunissez votre équipe et essayez une autre solution. Rappelez-vous: "Un démissonnaire ne gagne jamais, un gagnant ne démissionne jamais." Vous n'avez pas échoué aussi longtemps que vous continuez à essayer.

Un dernier conseil

Je vous suggère de garder un registre de tous vos problèmes, de vos plans d'action, de vos résultats et de vos succès afin de vous y référer plus tard. Ils peuvent vous servir à résoudre un problème futur et vous aurez un registre permanent de votre capacité à surmonter vos obstacles.

9

Faites face à la frustration

*"Vous savez que vous êtes sur la bonne piste quand le chemin
est ardu jusqu'au bout."*
Tanner

On nous parle souvent du travail ardu qu'exige la réalisation de nos rêves, mais on nous avertit rarement des longues périodes de frustration qui peuvent faire partie de l'expérience.

Malheureusement, l'expérience m'a appris que lorsque nous nous engageons dans des projets créatifs, une période de profonde frustration survient à un moment donné. Nos problèmes semblent impossibles à surmonter, notre intuition se dérobe et nous manquons de ressources.

L'écrivain ressent cette émotion lorsqu'il ne parvient pas à trouver les bons mots pour exprimer ses idées. L'athlète est déprimé lorsque son corps refuse de répondre à ses exigences. L'étudiant se plaint de ne pas arriver à mémoriser toute l'information importante et de ne pas réussir un examen.

Comment vivez-vous la frustration? Pouvez-vous la dépasser?

C'est une question difficile et il n'y a malheureusement pas d'absolu dans ce domaine. Votre succès dépend cependant en grande partie de votre façon de surmonter votre frustration. Nous examinerons dans ce chapitre divers aspects de la frustration et la meilleure façon de la surmonter.

Cernez les motifs de votre frustration

Dans les termes les plus généraux, la frustration décrit simplement les émotions que nous ressentons *lorsque nous n'avons pas ce que nous voulons*. Il existe cinq grands domaines où la frustration est susceptible de se développer. Voyons chacun d'eux.

1. Le manque de ressources

Avez-vous déjà eu besoin d'une ressource inexistante?

Une cliente qui participait récemment à un atelier me disait que la chose la plus frustrante pour elle était d'avoir des mains et des pieds trop petits. Ses pieds représentaient un problème particulier parce que très peu de magasins vendaient des chaussures à sa taille, et les quelques-uns qui existaient vendaient habituellement très cher et ne l'attiraient pas. Elle avait l'impression qu'elle devrait porter des chaussures d'enfant toute sa vie.

C'était pour moi un problème très spécial. J'ai donc décidé de transformer l'atelier en groupe de recherche pendant quelques minutes pour voir si nous pouvions trouver une solution.

Il ne nous a fallu que dix minutes pour arriver à une solution possible: cette femme pouvait confectionner elle-même ses chaussures. Elle n'avait jamais considéré cette possibilité, mais elle a décidé d'aller à la bibliothèque pour voir si elle pouvait trouver quelque chose sur le sujet.

Un livre donnait toutes les directives, étape par étape, pour fabriquer des chaussures. Les matériaux requis étaient disponibles et leur coût ne représentait qu'une fraction de ce qu'elle devait normalement payer au magasin. Elle était si heureuse de la tournure des événements qu'elle pensa même se lancer en affaires et fabriquer des chaussures pour des personnes ayant le même problème qu'elle.

Vous êtes-vous sentie frustrée pour des raisons semblables? Afin d'éliminer de tels obstacles, il y a deux possibilités: inventer votre propre ressource ou trouver un moyen d'atteindre votre objectif sans cette ressource.

2. L'impossibilité d'utiliser votre potentiel

Des scientifiques nous disent que nous utilisons environ dix pour cent de notre potentiel naturel; pourtant, dans mes ateliers, j'entends continuellement des clientes se plaindre de leur manque de ressources personnelles: "Je ne suis pas assez intelligente pour réussir à l'école", "Je suppose que je ne suis pas née pour faire beaucoup d'argent", etc.

Avez-vous déjà émis le même genre d'énoncés? Nous sommes souvent impatientes devant les piètres performances de notre esprit et de notre corps. Nous pensons que nous n'avons pas les capacités physiques ou mentales requises pour obtenir ce que nous voulons. Dans la plupart des cas, je pense que nous nous sous-estimons. Nous disposons de beaucoup plus de ressources que nous ne le croyons. Je pense que tout commence par la confiance en soi-même. Nous devons nous "vendre à nous-même" avant de pouvoir persuader les autres.

Si vous ne croyez pas avoir la capacité de réussir, je vous recommande de passer une heure chaque jour à vous représenter vous-même comme une personne ayant du succès. Il est vrai qu'une heure, c'est beaucoup et que vous pourriez accomplir de nombreuses choses durant ce temps, mais vous ne ferez jamais grand-chose de votre temps aussi longtemps que vous ne croirez pas en votre capacité de réussir.

3. L'abandon de votre zone de confort

Notre zone de confort est la gamme des comportements dans lesquels nous nous sentons le plus à l'aise. Pour certaines personnes, ça peut être de se lever à dix heures tous les matins ou de s'asseoir devant la télévision tous les soirs. Je pense que la plupart d'entre nous réglons notre zone de confort à un niveau qui nous permet de voir les autres réussir mais qui nous empêche de nous lever et d'agir.

Que nous ayons un objectif à atteindre ou un rêve à réaliser, cette démarche nous force à quitter notre zone de confort et à nous en créer une autre. Malheureusement, nous faisons souvent ce mouvement sans utiliser notre sagesse ou notre bon sens, nous disposant ainsi à l'échec plutôt qu'au succès.

Par exemple, il arrive souvent qu'une cliente enthousiaste sorte de mes ateliers et qu'elle soit impatiente de retourner à sa vie courante. Portée par cet enthousiasme, elle remet en question sa vie sédentaire. Elle décide de faire dix kilomètres de jogging par jour, de suivre un régime à 500 calories par jour et de se lever à cinq heures tous les matins pour écrire son premier best-seller. Elle prend aussi la résolution de nettoyer toutes ses armoires et ses tablettes (lundi prochain), de repeindre le salon et de prévoir une sortie spéciale avec les enfants. Elle a choisi d'être parfaite.

Cet enthousiasme peut durer une journée, une semaine ou peut-être même un mois, mais quelque chose casse soudain et elle retourne à son point de départ, ou, pire encore, elle régresse.

En fait, personne n'aime le malheur. Si vous détestez ce que vous faites, vous allez trouver une raison d'arrêter à plus ou moins brève échéance. Lorsque vous quittez votre zone de confort si radicalement, vous détestez cela, même si vous faites des choses que vous pensiez aimer.

L'art du changement consiste à vous améliorer graduellement. Essayez de réussir une petite expérience chaque jour. Changez votre routine par étapes. Vous serez beaucoup plus heureuse et vous aurez de bien meilleures chances de succès à long terme. Il s'agit de quitter votre zone de confort, mais en suivant deux principes humains importants: en premier lieu, nous avons tendance à graviter autour de notre zone de confort; deuxièmement, quand nous ne réussissons pas, nous avons tendance à la recréer. Par exemple, j'ai une amie qui proclame qu'elle adore faire du camping et vivre de façon naturelle, mais je la vois plus tard quitter l'autoroute au volant d'une luxueuse roulotte motorisée. Elle recrée sa zone de confort. Lorsque vous décidez d'atteindre un nouvel objectif, vous devez quitter votre zone de confort.

4. Le chaînon manquant

Parfois, vous savez exactement ce que vous voulez mais vous ne savez tout simplement pas comment y arriver. Vous ne pouvez faire le lien qui vous aiderait. Je trouve que cette situation s'applique souvent aux relations humaines et à la recherche d'un emploi. Par exemple, vous souvenez-vous de vos années de collège alors que vous vouliez sortir avec le capitaine de l'équipe de football ou le président de l'association étudiante. Vous le voyiez tous les jours, en classe, dans les assemblées, dans les corridors, et il était tellement merveilleux, mais vous n'arriviez pas à faire le premier pas. Vous pouviez à peine sourire et dire bonjour, et il passait sans même réaliser que vous existiez. C'était pénible et terriblement frustrant.

Vous avez finalement trouvé l'emploi parfait, un emploi qui vous permettrait de voyager dans des pays lointains et de rencontrer des gens intéressants. Vous présentez votre candidature mais, malheureusement, une centaine d'autres personnes le font aussi, et vous ne l'obtenez pas. Vous êtes probablement blessée et frustrée. Il est très difficile de voir que ce que vous désirez est à la fois si proche et si loin.

Si vous vivez cette sorte de frustration, il existe une très bonne façon d'utiliser votre temps. Préparez-vous à être à la hauteur de la situation, de l'emploi ou de l'individu désirés. Le vieux dicton: "L'eau rencontre son propre niveau" est un truisme. Si vous souhaitez quelque chose ardemment, vous devez vous y préparer.

Commencez par vous demander ce qui vous empêche de changer. Vous pourriez aussi consulter des experts ou suivre des cours pour acquérir de l'expérience. Il est très important d'obtenir plus d'information sur l'emploi ou l'individu concerné. Soyez toujours une étape en avance.

5. Le fossé entre le prix à payer et la récompense

Parfois des clientes me disent: "J'ai travaillé dur en suivant le programme qui devait conduire au succès et rien n'est encore arrivé. Je n'ai pas ce que je veux et je ne sais pas quoi faire de plus pour améliorer la situation."

Je lisais récemment un article sur un biologiste qui a fait une découverte remarquable il y a vingt ans dans le domaine de la botanique. Ce n'est que récemment que des journaux prestigieux et des manuels scolaires ont bien voulu reconnaître sa contribution et lui accorder les honneurs qu'il méritait.

Il n'y a qu'une façon de faire face à cette sorte de frustration: *patience!* La patience est un état d'esprit. Elle présuppose la foi. Il faut vous dire: "Bon, j'ai fait le travail et j'en ai payé le prix. Je vais donc réussir puisque je le mérite!"

Edna Ferber, grande auteure américaine, disait: "Une histoire doit mijoter dans son propre jus pendant des mois ou même des années avant d'être prête à servir." La frustration peut être ressentie durant cette période. Mais rappelez-vous qu'elle n'est qu'une émotion, pas une réalité, et qu'elle peut être transformée.

L'approche

Que devez-vous faire lorsque vous êtes frustrée? Essayez de suivre certaines des suggestions suivantes:

1. Identifiez votre sentiment et prenez-en conscience

Analysez-le. Comprenez-en la source. À la page 250 de la section pratique, vous pouvez inscrire toutes vos frustrations. Essayez de les identifier et de les classer. Vous serez étonnée de voir combien ce simple exercice vous aidera à y faire face plus efficacement.

2. Réalisez que vous n'êtes pas seule

La frustration est le lot de tout le monde.

Ses contemporains se moquaient du peintre français Degas et il était frustré de ne pas pouvoir vendre sa peinture. Michel-Ange et Benvenuto Cellini ont soulagé leurs frustrations en écrivant à propos de leur angoisse. Eux aussi avaient des moments de désespoir.

Plus votre objectif est élevé, plus votre frustration est grande. Acceptez-la comme faisant naturellement partie de votre vie.

3. Éliminez la tension

En revoyant ses grandes réussites, un physicien allemand disait: "Mes moments d'inspiration surviennent toujours de façon inattendue et sans que je fasse d'effort. Ils ne se manifestent jamais lorsque mon esprit est fatigué ou lorsque je suis à ma table de travail, mais plutôt lorsque je suis en train de faire une promenade dans la nature."

Nos objectifs ou nos rêves doivent souvent subir une sorte de période d'incubation, comme une chenille attendant de devenir papillon. Le cocon peut vous sembler inconfortable, mais au cours du cycle de croissance vous serez capable de transformer la situation au bon moment, réduisant ainsi la tension pour atteindre votre objectif.

Si vous vivez cette sorte de frustration, celle qui survient au moment où vous n'avez pas les réponses à vos questions ou à vos problèmes, je vous suggère de passer plus de temps à vous détendre ou de travailler à d'autres projets. Essayez une des suggestions suivantes:

- *Prenez des mini-vacances.* Par exemple, si vous vivez en ville, pourquoi ne pas aller à la campagne et jouir de l'air de la montagne. Si vous vivez en région rurale, passez une fin de semaine dans une grande métropole où vous pourrez profiter de quelques activités culturelles: opéra, concert de jazz ou restaurant exotique.
- *Passez une fin de semaine dans un hôtel chic*, soit avec votre mari soit seule. Ne vous fixez aucune échéance et détendez-vous. Profitez seulement du luxe de l'endroit.
- *Tentez une nouvelle expérience.* Envisagez d'accomplir quelque chose que vous n'avez jamais fait auparavant mais qui vous a toujours attirée: par exemple, une promenade en

ballon ou une croisière dans un bateau à fond vitré... Expérimentez un nouveau passe-temps ou apprenez quelque chose en mécanique.

Toutes ces suggestions peuvent vous sembler un peu folles et vous apparaître comme une perte de temps si vous avez un million de choses à accomplir. Elles peuvent toutefois avoir un effet libérateur merveilleux sur votre esprit. Dans ces situations, notre inconscient ou notre intuition peuvent prendre le relais, nous permettant de recharger nos batteries et nous accordant un moment de détente. Le moment de conscience aiguisé, il nous prend presque toujours par surprise. Plusieurs scientifiques disent que l'inspiration leur vient au cours de rêves, au moment de monter dans un autobus ou même alors qu'ils sont en train de jouer à la balle. J'ai une amie qui dit qu'elle trouve ses meilleures idées quand elle prend un bain de mousse. Mac Davis, chanteur et compositeur de grand talent, me disait qu'il avait un carnet de notes et un crayon près de lui en tout temps et que plusieurs de ses chansons ont été écrites pendant qu'il était pris dans un embouteillage ou qu'il conduisait sur l'autoroute.

Le lever et le coucher sont d'excellents moments pour résoudre des problèmes et trouver des idées. C'est le moment où vous êtes dans votre état "alpha". Plusieurs personnes créatives soulignent l'importance d'avoir un carnet et un crayon à leur chevet pour pouvoir inscrire leurs idées le plus tôt possible le matin.

Choisissez des comportements appropriés

Quand nous faisons face à nos frustrations, nous avons toujours le choix. Nous pouvons réagir émotivement comme Tchaïkovsky, ce grand compositeur qui déchirait beaucoup de partitions dans ses accès de rage, ou nous pouvons canaliser nos émotions de façon à vivre une expérience agréable.

Dans tous les cas, la façon dont vous choisissez de réagir durant ces périodes de frustration déterminera généralement si vous réussirez ou non à atteindre votre objectif.

Un mauvais emploi du temps

Voici quelques façons courantes de réagir à la frustration qui conduisent presque toujours à l'échec. Si vous tombez dans le panneau, vous pouvez perdre des heures, des jours ou même des mois précieux.

1. La destruction

Beaucoup de gens ont des comportements destructeurs quand ils veulent libérer leur énergie refoulée. Je ne peux compter le nombre de fois où des amies, ne réussissant pas à suivre un régime, ont annulé tous leurs efforts en allant tout d'un coup faire la noce. De même, plusieurs de mes amies les plus créatrices ont perdu un temps précieux alors qu'elles soulageaient leur frustration en détruisant leur travail.

Un artiste célèbre était si frustré à cause des lois fiscales qu'il brûla plusieurs de ses magnifiques oeuvres en présence de journalistes. Même si ce geste a attiré l'attention du public sur l'injustice faites aux artistes, peu de changements furent apportés à la loi de l'impôt et cet artiste vécut beaucoup d'angoisse. Il considérait que son talent était un don de Dieu et il confia plus tard ses craintes de ne plus pouvoir peindre à cause de son geste. Je ne vois rien de positif à la destruction.

Lorsque vous détruisez, vous devez recommencer. Même si vous rejetez votre projet, ne le jetez pas au feu. Dans un moment de calme, vous verrez peut-être la situation d'un autre oeil.

2. La régression

Certaines personnes abandonnent devant un échec et oublient de s'inspirer d'exemples. Elles oublient comment ont réussi Abraham Lincoln et Helen Keller et elles abandonnent.

Une amie me disait un jour que le seul véritable échec consistait à arrêter d'essayer. Beaucoup de gens réagissent à la frustration en abandonnant complètement leurs projets.

3. La perte de la confiance en soi

Une autre réaction négative consiste à cesser de croire en vous-même et en vos capacités. C'est si facile de dire: "Je suppose que je ne suis pas assez intelligente pour passer l'examen" ou "Je n'ai tout simplement pas la sorte de personnalité que je voudrais."

Aussitôt que vous faites ce genre de raisonnement, vous avez l'excuse parfaite pour échouer. Mais encore une fois, cela constitue vraiment un mauvais usage de votre temps.

4. La perte de la foi dans la société

Dites-vous: "C'est le monde où je vis qui m'empêche d'atteindre mon objectif, pas moi" et je vous garantis que vous échouerez aussitôt. Blâmer la société, c'est vous dérober. Ce n'est pas une façon de réussir. Si vous pensez que la société vous a laissée tomber, une bonne façon d'employer votre temps serait de changer la société ou d'améliorer cette situation.

5. Ne pas se représenter son succès

Quand vous cessez de penser au grand potentiel que vous possédez, vous échouerez probablement à jamais. Aussi longtemps que vous vous contenterez de votre sort, vous demeurerez probablement insatisfaite. La représentation est un des outils les plus puissants que je connaisse pour vous aider à planifier un emploi fructueux de votre temps.

6. Remettre les choses à plus tard

Souvent, les gens évitent leurs tâches lorsqu'ils sont frustrés. Ils se trouvent des excuses et des échappatoires. Certaines personnes choisissent de passer des heures devant la télévision lorsqu'elles sont frustrées. D'autres ont recours à des moyens plus destructifs comme l'alcool ou les drogues. Si vous devez vous évader, planifiez votre évasion. Prévoyez quelques heures, une fin de semaine ou même un long mois de congé, mais évitez de vous créer des illusions. La vraie vie peut être beaucoup plus agréable et satisfaisante que la fantaisie.

7. L'inquiétude

Beaucoup de gens choisissent de perdre leur temps et leur énergie à s'inquiéter. Ils n'entreprennent jamais d'action constructive ou n'utilisent pas leurs ressources positivement. Ils passent leur temps à penser à tout ce qui pourrait aller mal.

Si vous devez vous inquiéter, je vous suggère encore une fois de planifier! Prévoyez quinze minutes par jour où vous vous assoyez dans un fauteuil pour ne rien faire d'autre que vous inquiéter. Ensuite, lancez-vous dans un travail constructif: c'est un excellent antidote. Rappelez-vous: l'inquiétude ne change rien. Elle n'arrêtera aucun désastre et ne redressera aucun tort. Elle constitue une pure perte d'énergie.

Des façons positives d'employer votre temps

Même si les réactions négatives à la frustration sont courantes, il y a moyen d'y faire face et d'affronter la situation qui cause votre malheur. Examinez ce qui suit:

1. Utilisez votre énergie de façon constructive

Au lieu d'aller faire la noce ou de détruire vos efforts créateurs, faites de l'exercice. Certaines activités physiques comme le jogging, le racketball, le tennis ou la natation sont les meilleurs moyens de se changer les idées. Un psychologue me disait que vingt minutes d'exercice intensif vous permettent au moins deux heures d'activité intellectuelle. Si vous utilisez ces heures à votre avantage, vous pouvez faire beaucoup de chemin pour éliminer de façon permanente la situation qui vous cause du stress et de la frustration.

2. Travaillez avec vous-même
et non contre vos capacités naturelles

L'expérience est le seul moyen de vraiment comprendre comment fonctionnent votre corps et votre esprit. La plupart d'entre nous suivons des modèles. Si nous nous comprenons bien, nous pourrons choisir des programmes qui correspondent à nos modèles au lieu de s'y opposer.

3. Cultivez votre patience

C'est possible. Vous devez d'abord apprendre à contrôler votre esprit et vos pensées, ce qui exige que vous ayez confiance en vous-même et en votre environnement.

Nous avons tendance à perdre patience quand nous nous fixons des échéances impossibles à rencontrer. Au lieu d'abandonner, soulagez la pression en reculant l'échéance ou en fixant une échéance plus flexible. Cela vous permettra d'atteindre votre objectif d'une façon naturelle. Si vous tentez d'opérer des changements radicaux trop rapidement, vous ne pourrez qu'échouer.

4. Établissez de bonnes habitudes de travail

Obligez-vous à produire chaque jour. Un écrivain à succès expliquait ainsi sa méthode de travail: "J'écris tout ce qui me vient à l'esprit, que ce soit bon ou mauvais. Si je ne le fais pas, ça peut retarder ou bloquer mes meilleures oeuvres. J'écris aussi vite que je le peux. Après un certain temps, quelque chose se déclenche dans mon cerveau. La machine se met en marche et des phrases étonnantes commencent à apparaître sur ma page." Il se rend ainsi disponible à son inconscient et laisse travailler le côté droit de son cerveau.

5. Identifiez les causes de la frustration à laquelle vous faites face actuellement

Il se peut que vous ayez à abandonner temporairement un aspect de votre projet, mais vous pouvez aller de l'avant dans un autre domaine qui vous aidera à atteindre votre objectif.

Efforcez-vous d'employer efficacement votre temps dans la situation où vous vous trouvez. Demandez-vous ce que vous pouvez faire aujourd'hui, à cette heure ou à cette minute même pour accomplir ce qui n'a pas été fait.

6. Cherchez de nouvelles sources d'inspiration

Si vous vous sentez coincée ou prise dans une ornière, ou encore dans une situation sans issue, rencontrez quelqu'un qui a affronté le même problème et qui a su le résoudre. C'est une bonne façon de vous requinquer psychologiquement. L'enthousiasme constant est une des meilleures clés du succès.

7. Débarrassez-vous de la peur de l'échec

Nos progrès sont souvent ralentis parce que nous avons peur d'échouer. Nous avons peur de faire un premier croquis, d'écrire notre premier poème ou de pratiquer notre première pièce de musique parce que nous voulons être parfaites. C'est souvent vrai chez les jeunes maîtresses de maison. J'ai rencontré un grand nombre de femmes frustrées qui étaient très effrayées à l'idée d'essayer une nouvelle recette, de faire une robe ou de repeindre la maison parce qu'elles avaient peur de ne pas réussir.

Quand ça vous arrive, soyez indulgente envers vous-même. Dites-vous que vous n'avez pas à être parfaite la première fois que vous essayez quelque chose. Après tout, il est toujours possible de préparer autre chose pour le dîner ou de repeindre les murs. Même si vous essayez quelque chose de plus important, il existe toujours une autre chance. Quand vos mains et votre esprit sont occupés, il vous est assez difficile de penser à l'échec. C'est lorsque vous vous arrêtez ou que vous remettez la chose à plus tard que votre peur devient trop accablante.

8. Travaillez en ayant à l'esprit vos objectifs globaux

N'ayez pas peur d'élargir votre esprit ou de jeter un nouveau regard sur une vieille idée. En écrivant ce livre, j'ai parfois remarqué que j'essayais d'inventer une phrase et de construire un paragraphe autour de cette phrase, et même tout le thème du chapitre, simplement parce que j'aimais cette phrase. Naturellement, j'étais alors coincée et je me sentais frustrée. Lorsque je me suis rappelé que mon objectif global était d'écrire un livre d'information et pas seulement une phrase intéressante, j'ai été capable d'aller de l'avant. Dans d'autres activités, il est parfois nécessaire d'abandonner une idée ou une façon de penser pour que votre objectif global n'en souffre pas. Si vous restez accrochée à une idée qui n'aboutit à aucun résultat, vous perdrez du temps.

9. Redéfinissez votre frustration

Essayez de considérer votre frustration comme si vous étiez à la recherche d'un trésor enfoui, ou imaginez-vous en train d'assembler les pièces d'un casse-tête compliqué. Il se peut que vous ayez toutes les pièces dont vous avez besoin et qu'il vous manque simplement le bon dessin.

10. Vous êtes plus proche du but que vous ne le pensez

On dit souvent que la différence entre une grande réussite et la médiocrité est d'environ deux pour cent; cela veut dire qu'il faut ajouter deux pour cent d'étude, deux pour cent d'application, deux pour cent d'intérêt, deux pour cent d'effort et d'attention. Un travail constant, voilà le secret. Ajoutez deux pour cent d'efforts à tout ce que vous faites.

Aux pages 250 à 253, vous trouverez plusieurs exercices pour vous aider à faire face efficacement à la frustration. Seul un bon usage de votre temps peut apporter une solution à vos problèmes.

Pour une organisation fructueuse de votre temps, vous devez constamment changer votre rythme. Vous devez embrayer, débrayer, embrayer encore! Lorsque vous vous sentez frustrée, cela indique généralement de façon évidente que le temps est venu de changer le rythme de vos activités.

10

Trente minutes avant le repas

Il faut y faire face. Nous sommes toutes des ménagères, et nous devons toutes voir à la préparation des repas. Cette tâche peut devenir une routine harassante si vous ne faites pas attention. Qu'on soit marié, célibataire, homme ou femme, on doit manger. Et personne ne peut manger à l'extérieur tout le temps. Si vous en doutez, demandez-le à quelqu'un qui voyage beaucoup. (À propos, il va profiter de l'occasion pour se faire inviter, faites attention!)

J'ai été élevée dans le Sud où la préparation des repas occupait parfois toute la journée. La nourriture mijotait pendant des heures; c'était finement assaisonné et délicieux, et je dois avouer que j'ai rarement cuisiné de la sorte par la suite.

Des études montrent que quelqu'un qui travaille à l'extérieur évite de consacrer plus de trente-cinq minutes à la préparation d'un repas. J'aimerais expliquer comment je résouds le problème de la préparation des repas et partager avec vous quelques recettes faciles et agréables. Quelques-unes sont conçues pour un four à micro-ondes mais elles peuvent s'adapter à un four conventionnel.

J'ai suivi un cours de planification alimentaire au collège. Je ne pensais pas alors que cette information me serait utile dans mon propre foyer. Je voyais ce cours comme un autre. Mais lorsque mon emploi du temps est devenu de plus en plus chargé, j'ai ressorti mes vieux manuels scolaires et j'ai été heureuse d'y trouver une information pratique et efficace qui m'a permis de gagner du temps.

La planification du repas ne devrait pas commencer dans l'auto au moment où vous revenez du travail. Prévoyez du temps chaque semaine dans votre agenda pour établir de semaine en semaine des menus utilisables à tour de rôle. (La plupart des menus familiaux sont des variantes d'une dizaine de menus différents.) Si vous planifiez vos repas sur une période de temps suffisante, vous pouvez être sûre que votre famille aura une alimentation appropriée et variée. (Voir le graphique de la page 180.)

Lorsque mes menus sont bien en vue, je peux plus facilement établir ma liste d'épicerie, le temps que j'accorderai à la préparation des repas et je peux utiliser les restes.

Par exemple, si je décide de faire un rôti le lundi, je le sors du congélateur le dimanche soir, je le prépare le lundi matin et je le mets au four en fixant le moment de cuisson grâce à l'horloge automatique. Lorsque je reviens le soir, je n'ai plus qu'à préparer la salade et les légumes prévus. Après le repas, je découpe ce qui reste en lanières parce que je sais que je peux faire un boeuf Stroganoff plus tard dans la semaine; parfois je le tranche pour les sandwichs. Le secret c'est l'imagination et l'utilisation de toutes les ressources disponibles.

Autre avantage, la planification des repas vous permet de faire cuire plusieurs repas en même temps. Je cuisine en principe seulement deux jours par semaine, préparant assez de mets pour toute la semaine; il me suffit d'y ajouter les fruits frais et les légumes. Tout ce que j'ai à faire c'est réchauffer les mets lorsque je reviens à la maison.

Le principal conseil que je peux vous donner c'est de vous en tenir à une planification simple. Si vous voulez vous amuser ou démontrer votre habileté c'est une autre histoire. Mais si vous planifiez des menus simples, vous pouvez passer plus de temps avec votre famille et moins de temps à nettoyer.

Impliquez la famille entière dans la cuisine. Les jeunes enfants adorent apprendre et avoir des responsabilités et votre mari peut prendre plaisir à cuisiner (parfois!). Cela vous soulage d'un certain travail et peut être pour la famille une façon agréable de passer du temps ensemble.

Apprenez à simplifier votre travail. Chez moi, les repas sont servis sous forme de buffet où chacun se sert lui-même directement sur la cuisinière. Cela élimine le gaspillage et le nettoyage des plats de service. De plus, la tentation de se servir deux fois est moins grande. Nous profitons tous de la compagnie les uns des autres. Avant d'aller me coucher, je vide le lave-vaisselle et je mets la table pour le petit déjeuner.

Passer trois heures à la cuisine diminue ce temps précieux passé avec votre famille, et ça ne vous aide pas non plus à gagner 100 000$ par année. Réévaluez vos priorités, examinez les repas que vous servez et procurez-vous un bon livre de recettes rapides et faciles. Il en existe plusieurs sur le marché pour celles qui veulent mener à la fois une carrière et la vie de maîtresse de maison. Certains vous aident à épargner temps et argent et vous proposent un meilleur contrôle de la qualité de votre alimentation.

Ces livres vous seront d'un grand secours si la préparation des repas est devenue écrasante, laborieuse et trop longue. Vous pouvez aussi consulter certains services gouvernementaux pour obtenir de bons conseils. Avec un peu de créativité et de planification, vous pouvez devenir efficace dans ce domaine.

Puisque ce livre n'est pas à strictement parler un livre de recettes, il m'est impossible de proposer suffisamment de recettes faciles et rapides, mais j'aimerais quand même vous en suggérer quelques-unes qui peuvent vous aider à vous sentir plus créative dans la cuisine. Certaines de ces recettes sont empruntées à Janet Emel qui donne des cours de cuisine micro-ondes. D'autres sont mes recettes préférées ou celles de mes amies. Elles vous sont présentées dans l'ordre alphabétique.

PLANIFICATION DE MENUS

Servez-vous de ce graphique pour planifier les menus de toute une semaine, ou adaptez-le pour qu'il convienne à vos besoins

Dimanche	Lundi	Mardi	Mercredi	Jeudi	Vendredi	Samedi
petit déjeuner	petit déjeuner	petit déjeuner	petit déjeuner	petit déjeuner	petit déjeuner	petit déjeuner
déjeuner	déjeuner	déjeuner	déjeuner	déjeuner	déjeuner	déjeuner
dîner	dîner	dîner	dîner	dîner	dîner	dîner

RECETTES

**MENUS RAPIDES QUI VOUS
ÉPARGNENT DES HEURES!**

Aubergine Patrice

1 aubergine moyenne
1 citron
4 tomates moyennes tranchées
1 gros poivron vert émincé
2 oignons moyens hachés
Assaisonnement: sel, poivre, poudre d'ail, sucre
350 g (3/4 de livre) de fromage Cheddar en tranches

Coupez l'aubergine sans la peler en tranches d'un quart de pouce (1 cm). Arrosez les tranches avec le jus du citron pour les empêcher de brunir. Dans une grande casserole, disposez en couches successives l'aubergine, les tomates tranchées et le mélange de poivron vert et d'oignon émincés. Assaisonnez légèrement. Ajoutez une couche de fromage. Répétez dans le même ordre jusqu'à épuisement des ingrédients, en terminant par le fromage. Couvrez et faites cuire au four à 400°F (200°C) jusqu'à ce que de la vapeur se dégage (30 minutes). Réduisez le four à 350°F (175°C), continuez la cuisson, à découvert, pendant encore trente minutes, ou jusqu'à ce que l'aubergine soit tendre et la sauce épaisse et dorée (6 portions).

Biscuits au beurre d'arachide

Je n'aurais jamais cru que ces biscuits seraient si délicieux. Comment est-ce possible sans farine et sans levure? Essayez-les et vous verrez. Non seulement ce sont les biscuits au beurre d'arachide les plus faciles à faire, mais ce sont les meilleurs.

250 mL (1 tasse) de beurre d'arachide croquant ou nature
250 mL (1 tasse) de sucre
1 oeuf

Mélangez les ingrédients et façonnez des boulettes de la taille d'une noix. Placez les boulettes sur une plaque graissée et écrasez-les avec une fourchette. Faites cuire au four à 350°F (175°C) jusqu'à ce qu'ils soient légèrement brunis. Enlevez-les de la plaque et laissez-les refroidir. (Environ 16 biscuits).

Boeuf extra-fin

2 kg (4 livres) de boeuf à ragoût ou à rôtir
1 sachet de soupe à l'oignon
180 mL (3/4 de tasse) de sherry
1 boîte de crème de champignon

Mélangez le tout, mettez dans une casserole, couvrez et faites cuire au four à 250°F (125°C) pendant 3 h 30 min. Vous pouvez aussi préparer le tout très tôt le matin et faire cuire le mélange dans une cocotte de terre à feu très doux.

Boulettes de viande au four

1 kg (2 livres) de boeuf haché
375 mL (1 1/2 tasse) de chapelure
125 mL (1/2 tasse) de lait
60 mL (1/4 de tasse) d'oignon finement haché
2 oeufs
1 c. à soupe de sauce Worcestershire
1 1/2 c. à café de sel

Mélangez tous les ingrédients soigneusement. Façonnez 4 douzaines de boulettes d'environ 1 pouce (3 cm) de diamètre. Placez-les dans une grande casserole. Faites brunir dans un four modéré (375°F ou 185°C) pendant 25 à 30 minutes. Retirez la moitié des boulettes de la casserole et congelez-les. Servez avec de la sauce barbecue ou préparez les recettes de boulettes Stroganoff ou Sauerbraten (deux repas de 4 portions).

NOTE: Les boulettes peuvent être cuites au four à micro-ondes à raison de 6 minutes par livre de viande, en remuant les boulettes toutes les 3 minutes afin d'assurer une cuisson uniforme.

Sauce barbecue

Mélangez des quantités égales de gelée de raisin et de sauce Chili sur un feu moyen jusqu'à ce que la sauce soit chaude et homogène. Versez sur les boulettes et servez.

NOTE: C'est aussi délicieux sur des saucisses fumées servies en hors-d'oeuvre.

Boulettes de viande Sauerbraten

1/2 recette de boulettes de viande au four
125 mL (1/2 tasse) de vinaigre de vin
125 mL (1/2 tasse) d'eau
1 feuille de laurier
8 clous de girofle entiers
6 grains de poivre écrasés
2 c. à soupe de cassonade
8 biscuits au gingembre en morceaux
125 mL (1/2 tasse) de crème sure

Combinez tous les ingrédients sauf la crème sure. Ajoutez-les aux boulettes de viande. Couvrez et faites cuire à feu très doux pendant environ 30 minutes. Retirez les boulettes et placez-les sur un réchaud. Égouttez le liquide au-dessus d'une passoire et remettez-le dans la casserole. Incorporez la crème sure et versez la sauce sur les boulettes (4 portions).

Boulettes de viande Stroganoff

125 mL (1/2 tasse) d'oignon haché
4 c. à soupe de beurre
2 c. à soupe de farine
1 boîte de bouillon de boeuf concentré
2 c. à soupe de ketchup
1/2 recette de boulettes de viande au four
250 mL (1 tasse) de crème sure
Nouilles cuites chaudes

Faites revenir l'oignon dans le beurre jusqu'à ce qu'il soit tendre et transparent. Incorporez la farine. Ajoutez le bouillon et le ketchup. Faites cuire en remuant jusqu'à ce que le mélange bouillonne. Ajoutez les boulettes de viande (congelées ou non) et couvrez. Faites cuire à feu doux pendant 20 minutes en remuant de temps en temps. Incorporez la crème sure. Faites chauffer mais *ne laissez pas bouillir*. Servez sur des nouilles (4 portions).

Brownies

1 paquet de mélange à brownies aux noix
2 c. à soupe de beurre
60 g (2 onces) de chocolat non sucré
2 c. à soupe d'eau chaude
250 mL (1 tasse) de sucre en poudre
500 mL (2 tasses) de guimauves miniatures

Préparez et faites cuire les brownies selon le mode d'emploi. Pendant ce temps, mettez le beurre, le chocolat et l'eau dans une casserole, à feu doux et brassez jusqu'à ce que le tout soit bien mélangé. Retirez du feu, incorporez le sucre en poudre et brassez jusqu'à consistance lisse.

Après avoir retiré les brownies du four, couvrez-les immédiatement de guimauves miniatures et versez le glaçage au chocolat. Laissez refroidir. Coupez en 12 ou 16 carrés.

Casserole au fromage et aux croustilles

On me demande souvent cette recette. Je suis sûre que vous l'aimerez aussi!

1 boîte de crème de champignon
250 mL (1 tasse) de crème sure
1 oignon moyen haché
1 boîte de 210 g (7 onces) de sauce Chili verte
1 paquet de 210 g (7 onces) de croustilles genre tortillas
750 mL (3 tasses) de poulet cuit et coupé en dés
500 mL (2 tasses) de fromage Cheddar râpé

Mélangez la crème de champignon, la crème sure, l'oignon et la sauce Chili. Mettez dans un moule la moitié des ingrédients suivants: croustilles, poulet, sauce et fromage. Faites une deuxième couche dans le même ordre. Cuisez dans un four à 400°F (200°C) pendant 30 minutes ou au four à micro-ondes à haute température pendant 10 minutes (6 à 8 portions).

Casserole californienne

500 mL (2 tasses) de riz cuit
1/4 de c. à café de sel
Une pincée de poivre noir
Une pincée de poudre de cari
1 boîte de crème de champignon
125 mL (1/2 tasse) de mayonnaise
1 boîte de 195 g (6 1/2 onces) de thon
125 mL (1/2 tasse) d'amandes émincées
125 mL (1/2 tasse) d'olives tranchées
60 mL (1/4 de tasse) d'oignon râpé
125 mL (1/2 tasse) de céleri émincé
250 mL (1 tasse) de croustilles écrasées

Graissez un grand plat allant au four. Mélangez tous les ingrédients sauf les croustilles. Gardez le mélange au réfrigérateur toute une nuit. Avant de faire cuire, couvrez avec les croustilles. Faites cuire dans un four à 350°F (175°C) jusqu'à ce que les croustilles soient bien brunies et que le mélange bouillonne.

Cerises flambées

Un dessert complet.

100 mL (3/4 de tasse) de gelée de mûres
2 boîtes de 454 g (1 livre) de cerises Bing égouttées
125 mL (1/2 tasse) de brandy
1,75 litre (1 1/2 pinte) de crème glacée à la vanille

Faites fondre la gelée en remuant doucement dans un réchaud placé sur la chaleur directe. Ajoutez les cerises égouttées. Faites chauffer doucement jusqu'à ce que le liquide mijote. Versez le brandy au centre du mélange de fruits mais ne remuez pas le mélange. Laissez chauffer le brandy et allumez-le avec une allumette. Versez immédiatement le mélange sur des portions individuelles de crème glacée.

NOTE: Si le temps le permet, les boules de crème glacée peuvent être faites à l'avance et remises à congeler jusqu'à leur utilisation. Sortez-les quelques minutes avant de servir.

Dessert congelé au citron

3 c. à soupe de jus de citron
2 c. à café de zeste de citron
250 mL (1 tasse) de sucre
0,5 litre (1 chopine) de crème légère

Mélangez le jus de citron, le zeste et le sucre. Incorporez lentement la crème. Versez dans des coupes et faites congeler pendant 3 heures. Décorez avec des feuilles de menthe et des tranches d'orange. Retirez du congélateur de 5 à 10 minutes avant de servir (8 portions).

Fettucine

1 paquet de 240 g (8 onces) de nouilles fines
60 mL (1/4 de tasse) de beurre fondu
280 mL (1 1/3 tasse) de fromage Romano râpé
125 mL (1/2 tasse) de crème à fouetter légèrement fouettée

Faites cuire les nouilles selon le mode d'emploi. Égouttez-les bien. Mélangez le beurre, le fromage et la crème. Versez sur les nouilles et mêlez légèrement. Servez immédiatement (4 portions).

Galaxie chinoise

1 boîte de 210 g (7 onces) de thon égoutté
1 boîte de nouilles chinoises
1 boîte de crème de champignon
125 mL (1/2 tasse) de cachous
250 mL (1 tasse) de céleri coupé en dés
125 mL (1/2 tasse) d'oignon haché
1 boîte de 190 g (6 1/2 onces) de champignons
1 c. à soupe de sauce soya
1 boîte de 210 g (7 onces) de châtaignes d'eau en tranches

Combinez tous les ingrédients dans une casserole, couvrez et faites cuire de 5 à 10 minutes dans un four à 350°F (175°C) ou jusqu'à que le mélange soit bouillant (4 portions).

Haricots verts de Jeannette (four à micro-ondes)

4 petites tranches de bacon
1 petit oignon haché
1 c. à soupe d'eau
250 g (1/2 livre) de haricots verts coupés en morceaux
de 4 cm (1 1/2 pouce)
120 g (1/4 de livre) de champignons émincés

Coupez les tranches de bacon en quatre et mélangez-les avec l'oignon dans une casserole. Couvrez d'un papier essuie-tout et faites cuire au four à micro-ondes à haute température pendant 6 minutes. Égouttez la moitié du gras du bacon. Ajoutez l'eau et les haricots. Couvrez bien avec du papier cellophane ou un couvercle et faites cuire à haute température pendant 5 minutes. Incorporez les champignons, couvrez encore et faites cuire à haute température pendant 3 minutes ou jusqu'à ce que les haricots soient tendres, mais légèrement croquants. Assaisonnez de sel et de poivre si désiré (4 portions).

Hors-d'oeuvre facile

454 g (1 livre) de bacon
Cassonade

Coupez les tranches de bacon en trois et laissez-les reposer à la température de la pièce. Enrobez chaque côté de cassonade. Faites cuire dans un four modéré 300°F (150°C) de 30 à 45 minutes. Voyez à ce qu'elles soient croustillantes sans être brûlées. Égouttez-les sur du papier essuie-tout. On peut les garder une semaine ou deux au réfrigérateur dans un contenant fermé avec des feuilles de papier ciré entre les couches de bacon (environ 54 morceaux).

Mousse au chocolat

60 mL (1/4 de tasse) de café fort
420 mL (1 3/4 tasse) de crème légère
1 paquet de 90 g (3 onces) de pudding instantané au chocolat
1 c. à café de rhum
1 blanc d'oeuf

Mélangez le café et la crème. Préparez le pudding selon le mode d'emploi en remplaçant le lait par le mélange de crème et de café. Ajoutez le rhum. Laissez le mélange dans un bol jusqu'à ce qu'il prenne légèrement, soit environ 5 minutes. Battez le blanc d'oeuf en neige puis incorporez-le au pudding. Versez dans des bols individuels (4 portions).

Muffins au son

500 mL (2 tasses) d'eau bouillante
500 mL (2 tasses) de céréales de son
250 mL (1 tasse) de graisse végétale
750 mL (3 tasses) de sucre
4 oeufs
1 litre de lait de beurre (babeurre)
1,25 litre (5 tasses) de farine
5 c. à café de soda à pâte
1 c. à soupe de sel
1 litre (4 tasses) de céréales de son
450 g (1 livre) de raisins secs

Mélangez l'eau bouillante et les céréales de son et laissez-les en attente. Dans un grand bol, battre la graisse en crème et mélangez avec le sucre. Ajoutez les oeufs et battez bien. Ajoutez le lait de beurre et les céréales de son ébouillantées. Mélangez la farine, le soda à pâte et le sel. Ajoutez les ingrédients secs au mélange liquide. Incorporez le reste des céréales de son et les raisins. Faites cuire dans des moules à muffins graissés pendant 15 à 20 minutes dans un four à 400°F (200°C) (4 douzaines).

NOTE: Vous aimerez cette pâte à muffins, car elle se garde au réfrigérateur pendant un mois. Ne faites cuire que le nombre de muffins dont vous avez besoin et conservez le reste de la pâte au réfrigérateur pour un usage ultérieur. J'ajoute parfois des noix concassées à la pâte juste avant de la faire cuire.

Pain aux herbes

125 mL (1/2 tasse) de beurre ramolli
2 c. à soupe de persil haché
1/4 de c. à café de coriandre moulue
1 gousse d'ail écrasée
1 c. à café de gingembre
1/4 de c. à café de graines de céleri
1 pain français ou italien

Mélangez les assaisonnements et le beurre ramolli. Coupez un pain dans le sens de la longueur, puis en sections d'un pouce sans couper la croûte. Beurrez toutes les tranches. Enveloppez le pain dans du papier aluminium et mettez-le au réfrigérateur ou au congélateur jusqu'à ce que vous l'utilisiez. Pour le servir, amenez le pain à la température de la pièce puis réchauffez-le dans un four à 400°F (200°C) de 10 à 14 minutes (6 portions).

Pain de viande étagé (four à micro-ondes)

Pain de viande

700 g (1 1/2 livre) de boeuf haché
2 oeufs
1/2 oignon haché
60 mL (1/4 de tasse) de chapelure
1 c. à soupe de sauce Worcestershire
1 c. à café de sel

Farce

180 mL (3/4 de tasse) d'eau
2 c. à soupe de beurre
1/4 de c. à café de thym (facultatif)
500 mL (2 tasses) de mélange à farce assaisonné

Garniture

1 boîte de 120 g (4 onces) de champignons en morceaux égouttés
1/2 oignon coupé en rondelles
1 sachet de mélange à sauce brune

Mélangez bien les ingrédients du pain de viande. Divisez en trois portions. Mettez l'eau dans un contenant d'un litre (1 pinte). Ajoutez le beurre et le thym. Mettez le contenant au four à micro-ondes à haute température de 1 min 20 s à 1 min 40 s jusqu'à ébullition. Incorporez à la farce.

Pour assembler le pain de viande, placez la moitié des champignons dans un moule en forme d'anneau. Enrobez les oignons avec le mélange de sauce brune et saupoudrez-en les champignons. Recouvrez d'un tiers du mélange de viande.

Incorporez le reste des champignons à la farce. Étendez à la cuiller la moitié de la farce sur la viande jusqu'à un pouce du bord. Recouvrez avec le second tiers de viande.

Pressez les bords fermement pour sceller. Répétez avec le reste de la farce et de la viande. Scellez bien les bords.

Faites cuire au four à micro-ondes à haute température pendant 5 minutes. Réduisez la température de moitié et faites cuire de 8 à 13 minutes en faisant tourner le moule d'un demi-tour en cours de cuisson, jusqu'à ce que la viande soit ferme et ait perdu sa couleur rosée. Retournez le pain de viande sur un plat de service (6 portions).

Poires à la menthe

2,5 litres (2 pintes) de crème glacée à la vanille
125 mL (1/4 de tasse) de crème de menthe verte
1 boîte de poires en demies bien froides
1 boîte de 240 g (8 onces) de sirop au chocolat

Laissez ramollir la crème glacée à la température de la pièce. Mettez-la dans un grand bol. Incorporez la crème de menthe avec une spatule de caoutchouc, juste assez pour faire des marbrures; ne la mélangez pas trop. Versez la crème glacée dans 3 ou 4 contenants à cubes de glace. Faites recongeler pendant 4 heures environ.

Pour servir, égouttez les moitiés de poire dans un plat de service en verre. Placez un morceau de crème glacée au centre de chaque poire. Versez le sirop au chocolat sur la crème glacée (8 portions).

Pommes croustillantes (four à micro-ondes)

6 pommes à cuire pelées, avec le coeur enlevé et coupées en tranches
170 mL (2/3 de tasse) de flocons d'avoine à cuisson rapide
85 mL (1/3 de tasse) de farine tout usage non tamisée
240 mL (3/4 de tasse) de cassonade
1/2 c. à café de muscade
1/2 c. à café de cannelle
60 mL (1/4 de tasse) de beurre ou de margarine

Placez les tranches de pommes dans un plat de pyrex de 8 pouces (20 cm) de côté. Mélangez les autres ingrédients sauf le beurre dans un bol. Coupez-y le beurre à la dimension d'un pois. Versez le mélange sur les pommes. Faites cuire au four à micro-ondes à haute température, sans couvrir, de 12 à 14 minutes ou jusqu'à ce que les pommes soient tendres (4 à 6 portions).

Pot de crème

Cette recette peut être préparée une journée d'avance.

1 paquet de 180 g (6 onces) de morceaux de chocolat semi-sucré
1 c. à café de vanille
1 pincée de sel
2 c. à soupe de sucre
1 oeuf
180 mL (3/4 de tasse) de lait
1 c. à soupe de brandy

Placez tous les ingrédients sauf le lait dans le récipient de votre mélangeur. Faites chauffer le lait jusqu'au point d'ébullition. Versez-le sur les autres ingrédients, couvrez et mélangez pendant une minute. Versez immédiatement dans des coupes. Faites refroidir. Servez avec de la crème fouettée parfumée au brandy (6 portions).

Poulet à la Catalina

Ce plat est idéal pour une cuisinière occupée; habituellement, je le prépare avant d'aller travailler et je le fais cuire en revenant à la maison. C'est une bonne façon de faire mariner le poulet et c'est délicieux accompagné de riz sauté et de brocoli.

2 grosses poitrines de poulet coupées en quatre morceaux
Sel et poivre
4 c. à soupe de beurre ou de margarine
1 citron coupé en moitiés
250 mL (1 tasse) de vinaigrette commerciale Catalina

Lavez le poulet et enlevez la peau. Salez et poivrez légèrement. Disposez les morceaux dans un moule à gâteau rectangulaire, la partie où se trouvait la peau vers le haut. Mettez une cuiller à soupe de beurre sur chaque morceau. Pressez le jus du citron et versez-le sur le poulet, puis ajoutez la vinaigrette. Couvrez avec du papier aluminium. Faites cuire pendant 1 heure dans un four à 350°F (175°C). Enlevez le papier aluminium pour les 10 dernières minutes de cuisson (4 portions).

Poulet aigre-doux (I)

Impressionnant pour vos invités!

1 poulet barbecue de 0,75 kg (1 1/2 livre) coupé en morceaux ou des poitrines
1 boîte de 300 g (10 onces) d'abricots en conserve
1 sachet de soupe à l'oignon
1 bouteille de 240 g (8 onces) de vinaigrette à la Russe
60 mL (1/4 de tasse) d'eau

Disposez le poulet la peau vers le haut dans une grande assiette allant au four. Mélangez les autres ingrédients. Versez sur le poulet. Couvrez. Faites cuire au four à 350°F (175°C) pendant 1 h 30 min ou jusqu'à cuisson complète. Badigeonnez de temps en temps avec la sauce en cours de cuisson (4 à 6 portions).

Poulet aigre-doux (II)

1 poulet de 1,50 à 2 kg (3 à 4 livres) coupé en morceaux
1 boîte de 240 g (8 onces) d'ananas écrasés
2 c. à soupe de fécule de maïs
180 mL (3/4 de tasse) de sucre
125 mL (1/2 tasse) de sauce soya

60 mL (1/4 de tasse) de vinaigre
1 gousse d'ail émincée
1/2 c. à café de gingembre moulu
1/4 de c. à café de poivre

Placez les morceaux de poulet, la peau vers le fond, dans un moule peu profond. Égouttez les ananas et réservez 2 cuillerées à soupe du jus. Mélangez la fécule de maïs, le jus d'ananas, le sucre, la sauce soya, le vinaigre, l'ail et le gingembre dans une grande casserole. Faites cuire à feu moyen en remuant constamment jusqu'à ce que la sauce épaississe et bouillonne. Versez la sauce sur le poulet. Faites cuire au four à 400°F (200°C) pendant 30 minutes en badigeonnant le poulet de temps en temps. Retournez le poulet et étendez les ananas sur le dessus. Versez de la sauce sur le tout. Faites cuire encore 30 minutes ou jusqu'à ce que le poulet soit tendre (8 portions).

Poulet Cordon Bleu (four à micro-ondes)

2 poitrines de poulet entières, désossées, peau enlevée et coupées en moitiés
2 fines tranches de jambon
4 fines tranches de fromage fondant (Monterey)
Shake and Bake, saveur naturelle

Aplatissez les poitrines de poulet pour qu'elles soient le plus mince possible. Placez une tranche de jambon et une tranche de fromage sur chacune. Roulez le poulet en refermant les bouts pour former un rouleau. Attachez les rouleaux avec des cure-dents. Mouillez les rouleaux avec un peu d'eau et roulez-les dans le Shake and Bake. Faites cuire sans couvrir dans le four à micro-ondes à haute température pendant 5 minutes. Retournez les poitrines et faites cuire encore 3 minutes. (À ce moment, les rouleaux de poulet peuvent être mis à refroidir, puis réfrigérés ou même congelés.) Disposez les morceaux de poulet dans un plat de service et laissez en attente.

Sauce

2 c. à café de farine
2 c. à soupe d'oignon râpé

125 mL (1/2 tasse) de fromage râpé
85 mL (1/3 de tasse) de lait
1 boîte de 120 g (4 onces) de champignons émincés

Si vous vous servez du plat dans lequel le poulet a cuit, ajoutez la farine au gras qui s'y trouve. Vous pouvez aussi faire fondre 1 cuillerée à soupe de beurre à laquelle vous ajoutez 1 cuillerée à café de sel assaisonné. Incorporez la farine. Ajoutez l'oignon, le fromage et le lait. Mélangez bien. Faites cuire sans couvrir de 2 à 3 minutes à feu vif ou jusqu'à ce que la sauce épaississe. Incorporez les champignons égouttés. Faites cuire encore 1 min 30 s. Versez la sauce sur le poulet et faites chauffer pendant 2 minutes ou jusqu'à ce qu'il soit chaud (4 portions).

Poulet Divan

2 poitrines de poulet entières précuites
1 boîte de soupe au fromage Cheddar
60 mL (1/4 de tasse) de brandy
1/2 c. à café de poudre d'ail
1/4 de c. à café de sel de céleri
1/4 de c. à café de basilic
1 paquet de brocoli congelé
4 tranches de fromage fondant

Enlevez la peau du poulet et tranchez-le; réservez-le. Dans une casserole moyenne, mélangez la soupe, le brandy, la poudre d'ail, le sel de céleri et le basilic. Faites chauffer le tout jusqu'à ce que le mélange bouillonne. Faites cuire le brocoli jusqu'à ce qu'il soit tendre mais encore ferme. Placez le brocoli dans un moule peu profond. Recouvrez-le avec les morceaux de poulet et les tranches de fromage. Versez la sauce sur le tout. Faites cuire dans un four pré-chauffé à 375°F (185°C) pendant 20 minutes ou jusqu'à ce que le mélange bouillonne (4 portions).

Riz chinois au porc

1 boîte de 180 g (6 onces) de riz à long grain
1 boîte de crème de champignon
300 mL (1 1/4 tasse) d'eau
1 boîte de 454 g (16 onces) de légumes chinois égouttés

6 à 8 côtelettes de porc dégraissées
Poivre noir
Sel d'ail

Mélangez le riz, la soupe et l'eau dans une casserole peu profonde. Ajoutez les légumes chinois égouttés et disposez les côtelettes de porc sur le tout. Saupoudrez de poivre noir et de sel d'ail. Faites cuire au four à 325°F (160°C) pendant 1 h 30 min. Couvrez-les si vous les faites cuire plus longtemps et réduisez la chaleur. Ce plat peut être préparé à l'avance et réfrigéré. On peut substituer au porc des côtelettes de veau ou des morceaux de poulet (6 portions).

Riz sauté

Cette recette deviendra une de vos préférées; elle convient bien à toutes sortes de plats.

60 g (2 onces) de beurre
125 mL (1 tasse) de riz
125 mL (1 tasse) d'oignons hachés
1 boîte de consommé
1 boîte de bouillon de boeuf
1 boîte de 120 g (4 onces) de champignons émincés égouttés
(facultatif)

Faites fondre le beurre dans une grande casserole. Ajoutez le riz et mélangez bien sur un feu moyen jusqu'à ce que le riz soit légèrement doré. Ajoutez les autres ingrédients. Couvrez et faites cuire dans un four à 350°F (175°C) pendant 1 heure (6 à 8 portions).

Rouleaux à la cuiller

1 paquet de levure sèche
2 c. à soupe d'eau chaude (110°F ou 55°C)
500 mL (2 tasses) d'eau chaude (même température)
180 mL (3/4 de tasse) d'huile végétale
1 litre (4 tasses) de farine
60 mL (1/4 de tasse) de sucre
1 oeuf

Faites dissoudre la levure dans les 2 cuillerées à soupe d'eau chaude. Mélangez tous les autres ingrédients et ajoutez-les à la levure. Versez à la cuiller dans des moules à muffins. Faites cuire au four à 400°F (200°C) de 15 à 20 minutes. La pâte peut être gardée au réfrigérateur pendant plusieurs jours. Vous pouvez donc la faire d'avance et la faire cuire au besoin (2 douzaines de rouleaux).

Salade César rapide

4 c. à soupe de jus de citron
60 mL (1/4 de tasse) d'huile d'olive
1/2 c. à café de poivre moulu
1 c. à café de sauce Worcestershire
1/2 c. à café de poudre d'ail
1/4 de c. à café de sel
1 oeuf battu
60 mL (1/4 de tasse) de fromage Parmesan râpé
Quelques anchois finement hachés (facultatif)
Croûtons

Placez tous les ingrédients sauf les croûtons dans un pot. Fermez bien et agitez vigoureusement. Placez au réfrigérateur jusqu'à l'heure du repas. Versez le mélange sur la laitue. Et n'oubliez pas d'ajouter les croûtons!

Soufflé au brocoli

2 paquets de brocoli congelé (cuit et refroidi)
250 mL (1 tasse) de soupe au champignon ou au poulet
125 mL (1/2 tasse) de mayonnaise
3 oeufs légèrement battus
1 oignon haché sauté
3/4 de c. à café de sel (facultatif)
Fromage Cheddar râpé

Mélangez tous les ingrédients sauf le fromage, versez le tout dans un plat à soufflé graissé et saupoudrez de fromage. Faites cuire de 30 à 40 minutes dans un four à 325°F (170°C).

NOTE: Vous pouvez ajouter 500 mL (2 tasses) de poulet en dés ou 0,5 kg (1 livre) de boeuf haché préalablement sauté et vous aurez un repas complet.

Soufflé au chocolat garni de
sauce au chocolat (four à micro-ondes)

2 carrés de chocolat semi-sucré
3 c. à soupe de beurre ou de margarine
60 mL (1/4 de tasse) de farine
125 mL (1/2 tasse) de sucre
300 mL (1 1/4 tasse) de lait
1/8 de c. à café de vanille
6 oeufs, blancs et jaunes séparés
1 c. à café de crème de tartre

Mettez le beurre et le chocolat dans un bol d'une pinte et demie. Placez le bol dans le four à micro-ondes à 70% de sa puissance pendant 1 à 2 minutes pour faire fondre les ingrédients. Incorporez ensuite la farine, le sucre et le lait. Faites cuire à pleine puissance pendant 3 minutes ou jusqu'à épaississement en remuant le mélange après 1 min 30 s. Remuez encore et laissez refroidir légèrement. Ajoutez la vanille.

Séparez les oeufs. Battez les jaunes jusqu'à l'obtention d'une sauce épaisse. Battez les blancs avec la crème de tartre jusqu'à ce qu'ils commencent à former des pics. Incorporez doucement les jaunes d'oeufs aux blancs et ajoutez au premier mélange. Versez dans un plat à soufflé de 8 pouces (20 cm). Ajoutez un collet de papier brun (une double épaisseur donne un collet plus stable).

Faites cuire au four à micro-ondes à 60% pendant 2 minutes, puis à 30% pendant 15 minutes et à 20% pendant 3 minutes. Le dessus paraîtra crémeux et légèrement humide. Servez avec la sauce au chocolat (6 portions).

Sauce au chocolat (four à micro-ondes)

2 carrés de chocolat semi-sucré
60 mL (1/4 de tasse) de liqueur de café
1 c. à soupe de crème

Faites fondre le chocolat dans une tasse à mesurer d'une capacité de 2 tasses (500 mL) à 70% pendant 1 à 2 minutes. Versez la crème et brassez jusqu'à consistance lisse. Incorporez la liqueur de café. Versez sur le soufflé.

Soufflé facile au fromage

2 c. à soupe de beurre
2 c. à soupe de farine
125 mL (1/2 tasse) de lait
1 goutte de sauce Tabasco
1/2 c. à café de sel
4 oeufs séparés
500 mL (2 tasses) de fromage Cheddar moyen-fort râpé

Faites fondre le beurre dans une casserole. Ajoutez la farine et mélangez bien. Ajoutez le lait et remuez jusqu'à consistance lisse. Faites cuire à feu doux jusqu'à épaississement. Retirez la casserole du feu. Séparez les oeufs et battez les jaunes légèrement. Ajoutez-les peu à peu au mélange chaud et mélangez bien. Ne remettez pas la casserole sur le feu. Ajoutez le sel, le fromage râpé et le Tabasco. La chaleur du mélange suffira à faire fondre le fromage. Battez les blancs d'oeufs en neige. Incorporez-les au mélange. Versez dans un moule. Déposez ce moule dans un plateau contenant de l'eau. Faites cuire au four à 350°F (175°C) de 30 à 40 minutes ou jusqu'à ce que le dessus soit doré (4 portions).

Soufflé un-deux-trois

1 c. à soupe de beurre
Sucre
4 blancs d'oeufs
1 pincée de sel
1 pot de 360 g (12 onces) de confiture d'abricots ou de cerises
60 mL (1/4 de tasse) d'amandes émincées
Sucre en poudre

Préchauffez le four à 400°F (200°C). Graissez légèrement l'intérieur d'un moule à soufflé et saupoudrez-le de sucre. Battez les blancs d'oeufs dans un bol moyen, ajoutez une pincée de sel et continuez de les battre en neige. Ajoutez une cuillerée à soupe de sucre en poudre et continuez de battre jusqu'à ce que les oeufs forment des pics quand vous soulevez lentement le batteur.

Incorporez délicatement la confiture à l'aide d'une spatule en caoutchouc. Versez dans le moule à soufflé. Saupoudrez d'amandes. Faites cuire pendant 20 minutes ou jusqu'à ce que la surface soit dorée.

Pour servir, saupoudrez un peu de sucre en poudre.
Servez avec de la crème fouettée si désiré (6 portions).

Soupe aux palourdes (four à micro-ondes)

2 tranches de bacon
1 boîte de 210 g (7 onces) de petites palourdes avec leur jus
1 grosses pomme de terre pelée et coupée en cubes
60 mL (1/4 de tasse) d'oignon haché
125 mL (1/2 tasse) d'eau
1 boîte de 325 mL (13 onces) de lait évaporé
Sel et poivre au goût
1 c. à soupe de beurre ou de margarine

Mettez les tranches de bacon dans une casserole et couvrez-les avec un morceau de papier essuie-tout. Faites-les cuire de 1 min 30 s à 2 minutes à température maximale jusqu'à ce que le bacon soit croustillant. Enlevez le papier et le bacon et laissez le reste du gras dans la casserole. Écrasez le bacon en miettes et réservez-le. Dans la même casserole, ajoutez les palourdes avec leur jus, la pomme de terre, l'oignon et l'eau. Couvrez et faites cuire pendant 8 minutes ou jusqu'à ce que les pommes de terre soient tendres. Remuez une ou deux fois au cours de la cuisson. Ajoutez le lait, le bacon émietté, du sel et du poivre au goût et le beurre. Couvrez et faites cuire de 2 à 3 minutes ou jusqu'à ce que le mélange commence à bouillir. Laissez reposer 2 minutes. Servez avec des craquelins si désiré (4 portions).

Le Spécial de Jos

Ce plat peut être préparé tôt le matin, réfrigéré puis réchauffé plus tard.

2 paquets de 300 à 360 g (10 à 12 onces) d'épinards congelés hachés
1 c. à café de sel
500 g (1 livre) de boeuf haché maigre
1 gros oignon haché
250 g (1/2 livre) de champignons frais tranchés
250 mL (1 tasse) de crème sure

1/2 c. à café d'origan
1/2 c. à café de basilic
1/2 c. à café de thym
1/8 de c. à café de muscade moulue
250 mL (1 tasse) de fromage Cheddar râpé et 250 mL (1 tasse) de Parmesan râpé (j'en mets toujours un peu plus)

Placez les épinards dans une passoire et rincez-les à l'eau chaude pour les faire décongeler. Pressez pour enlever l'eau et laissez-les en attente. Saupoudrez du sel dans une grande poêle à frire. Faites sauter le boeuf haché en y ajoutant l'oignon et les champignons. Faites cuire jusqu'à ce que le liquide soit presque complètement évaporé. Retirez du feu, incorporez les épinards, la crème sure, les assaisonnements et 1/2 tasse de chacun des fromages. Versez le mélange dans une casserole peu profonde. Saupoudrez avec le reste du fromage. Faites cuire au four à 350°F (175°C) sans couvrir pendant 20 minutes ou jusqu'à ce que le plat soit bien chaud (6 portions).

Suprême de brocoli

2 paquets de 300 g (10 onces) de brocoli congelé
1 boîte de 300 g (10 3/4 onces) de soupe aux légumes
250 mL (1 tasse) de crème sure
4 c. à soupe de fromage Parmesan
2 c. à soupe de beurre ou de margarine

Faites dégeler lentement le brocoli dans une casserole d'eau chaude. Placez ensuite les morceaux dans une casserole d'une pinte et demie. Versez la soupe et la crème sure sur le brocoli. Saupoudrez de fromage et garnissez de beurre. Faites cuire pendant 35 minutes dans un four à 350°F (175°C).

NOTE: Vous pouvez substituer du fromage Cheddar au Parmesan.

Tablettes aux arachides

1 paquet de 120 g (4 onces) de pudding au choclat ou de garniture à tarte au chocolat
335 mL (1 1/3 tasse) de mélange à biscuits

85 mL (1/3 de tasse) de sucre
125 mL (1/2 tasse) de lait
3 c. à soupe d'huile
1 oeuf
125 mL (1/2 tasse) d'arachides

Faites chauffer le four à 350°F (175°C). Graissez un moule carré de 9 pouces (23 cm) de côté. Mélangez le pudding, le mélange à biscuit et le sucre. Ajoutez le lait, l'oeuf et l'huile. Mélangez bien et versez dans le moule. Saupoudrez des arachides concassées sur le dessus. Faites cuire de 25 à 30 minutes. Coupez en 16 morceaux.

Tomates farcies aux épinards

6 tomates moyennes
6 tranches de bacon
500 g (1 livre) d'épinards frais ou un paquet de 300 g (10 onces)
d'épinards congelés
180 mL (3/4 de tasse) de chapelure fraîche (broyez du pain frais
au mélangeur)
1/4 de c. à café de poivre
1/4 de c. à café de sel
Crème sure

Coupez une fine tranche sur le dessus des tomates et évidez-les à l'aide d'un couteau à pamplemousse (utilisez la pulpe de tomate pour une autre recette). Retournez les tomates pour qu'elles s'égouttent. Pendant ce temps, faites cuire le bacon jusqu'à ce qu'il soit croustillant; égouttez-le, émiettez-le et laissez-le en attente. Faites cuire les épinards dans un peu d'eau, égouttez-les bien et rincez-les (ou faites cuire les épinards congelés tel qu'indiqué, puis égouttez-les bien). Mélangez les épinards, la chapelure, le bacon et le poivre. Saupoudrez l'intérieur des tomates avec un peu de sel. Farcissez les tomates avec le mélange aux épinards et déposez-les dans un moule graissé. Faites cuire sans couvrir dans un four à 350°F (175°C) pendant 20 minutes ou jusqu'à ce que les tomates soient tendres tout en gardant leur forme. Ajoutez une cuillerée de crème sure au moment de servir (6 portions).

Trempette aux piments

2 tranches de bacon finement coupées
1 gros oignon haché
2 gousses d'ail ou 1/4 de c. à café de poudre d'ail
2 c. à soupe de fromage Velveeta
2 grosses tomates en boîte ou fraîches
1 boîte de 120 g (4 onces) de piments verts émincés (chilis)

Faites frire le bacon, ajoutez l'oignon et l'ail émincés et faites cuire jusqu'à ce que l'oignon soit transparent. Ajoutez le fromage et les tomates. Faites cuire à feu doux jusqu'à ce que le fromage fonde. Ajoutez les piments et mélangez bien. Servez avec des croustilles tortillas ou avec des biscuits soda.

Viande et légumes sautés

60 mL (1/4 de tasse) d'huile (d'arachide de préférence)
1/2 c. à café de racine de gingembre faîche finement émincée
(facultatif)
1 gousse d'ail émincée
250 mL (1 tasse) de viande hachée ou en tranches, au choix
125 mL (1/2 tasse) de petits pois congelés,
125 mL (1/2 tasse) de pousses de bambou tranchées
125 mL (1/2 tasse) d'oignon tranché
125 mL (1/2 tasse) de courgette tranchée
60 mL (1/4 de tasse) d'eau

Sauce

60 mL (1/4 de tasse) d'eau
1 c. à soupe de fécule de maïs
1 c. à soupe d'huile
2 c. à soupe de sauce soya

Faites chauffer une poêle à frire ou un wok à feu vif. Ajoutez l'huile. Lorsqu'elle commence à fumer, ajoutez le gingembre et l'ail. Faites sauter quelques secondes puis ajoutez la viande. Faites-la sauter pour qu'elle brunisse. Ajoutez tous les légumes et l'eau. Couvrez et faites cuire à la vapeur de 2 à 3 minutes. Ajoutez la sauce et laissez cuire jusqu'à épaississement. Servez immédiatement (4 portions).

NOTE: On peut remplacer la viande par du poulet ou des crevettes.

11

En route!

Un voyage peut être stimulant, excitant, intéressant et profitable. Il peut aussi être fatigant, frustrant, compliqué et devenir un cauchemar. La différence tient à votre façon de voyager.

Je me souviens de mon premier séjour en Europe. J'avais pris soin d'organiser ma garde-robe, quittant les États-Unis avec ce que je croyais être l'essentiel dans une seule grosse valise. J'en ris encore quand je repense à ce voyage d'une semaine.

À ce moment-là, je pensais que les éléments essentiels pour voyager étaient des bigoudis, un séchoir, quatre paires de chaussures, neuf ensembles (bien coordonnés naturellement), deux sacs à main, trois ceintures, un beau petit chapeau, neuf ensembles de lingerie, du parfum, tous les cosmétiques imaginables, une cafetière portative, un fer à repasser, etc.

Je pouvais à peine soulever ma valise, et parce que j'étais en Europe par affaires (et aussi pour le plaisir), je devais changer d'hôtel chaque jour. À la fin, j'étais sur le point de jeter tous mes biens comme les pionniers qui traversent le désert et épuisent leur bétail. Je suis revenue à la maison en jurant de ne plus jamais être aussi stupide et j'ai tenu ma promesse. Bien sûr, j'ai porté tous les vêtements que j'avais emportés et utilisé la plupart des autres articles, mais j'aurais pu me débrouiller avec un bagage plus modeste.

Puisque je voyage beaucoup, j'ai découvert quelques trucs dont je peux vous faire profiter. Quelqu'un a déjà dit que l'un des traits caractéristiques de l'humanité est d'apprendre à partir des erreurs des autres.

J'ai une valise prête en tout temps. Il s'y trouve un petit ensemble compact d'articles de toilette dans des bouteilles de plastique. (Tout est en miniature: dentifrice, fixatif pour les cheveux, etc.) Ce sac compact pourrait tenir dans un sac à main.

Lorsque je reviens à la maison, je fais ma lessive et je range immédiatement le tout dans ma valise: lingerie, chemise de nuit et bas de nylon, et je suis prête à partir, n'ayant qu'à ajouter ce que je prévois porter.

Je fais rarement enregistrer mes bagages à l'aéroport. Ils ont été perdus, envoyés trop souvent à la mauvaise place même lors d'un vol direct d'une heure.

Vous découvrirez qu'en vous en tenant à l'essentiel, vous pouvez garder avec vous, dans la cabine, tout ce dont vous avez besoin (les sacs les plus légers et les moins chers sont préférables). Si vous avez de la difficulté à vous restreindre, ne prenez que la moitié de ce que vous aviez prévu et emportez plus d'argent.

Si vous n'êtes pas sûre d'avoir besoin d'un article, laissez-le à la maison. Il est préférable d'avoir avec vous le moins de choses possible. Moins vous en emporterez, moins vous aurez de soucis.

Quand j'entends les gens parler du temps qu'ils passent à préparer leurs bagages, je suis contente de ne jamais avoir à m'en inquiéter. C'est toujours utile d'être prêt. Un jour, un ami qui dirige un service de courrier à travers le monde m'appela et me demanda de livrer de main à main une lettre au prince Rainier à Monte Carlo. Il savait que je pouvais être prête en cinq minutes, et je l'étais! Lorsque vous êtes très occupée, il faut être prête.

Faites affaire avec les agences de voyage qui peuvent vous livrer vos billets et s'occuper des dispositions du voyage. Confirmez vos réservations d'hôtel et payez d'avance si vous pensez arriver en retard. S'ils vous disent qu'ils regrettent mais qu'il y a eu erreur... menacez-les de passer la nuit dans le hall, expliquez-leur que vous allez d'abord vous brosser les dents dans la fontaine avant de vous déshabiller pour revêtir vos vêtements de nuit... Croyez-moi, il y a toujours une chambre libre... Sinon, occupez un de leurs bureaux pour la nuit.

Pour des raisons évidentes, essayez que quelqu'un de la compagnie ou de l'organisation pour laquelle vous travaillez vienne vous prendre à l'aéroport.

Une femme qui se rend dans une ville étrangère doit toujours être prudente. Si vous n'aimez pas visiter et manger seule, bien, mais n'attirez pas les problèmes. Je n'ai jamais connu d'incidents malheureux mais je n'en ai jamais provoqué non plus. Je ne suis pas une alarmiste mais je suis prudente.

Vérifiez les prévisions météorologiques avant de partir. Appelez pour vous assurer que votre vol est à l'heure. Prenez un imperméable ou un manteau léger si l'on prévoit un refroidissement de la température. De plus, en avion (qui a le temps de voyager autrement?) il fait habituellement frais et un manteau léger peut s'avérer utile.

Apprenez à vous détendre durant un vol pour vous préparer à vos prochaines responsabilités. Je suis rarement éveillée au décollage. Je dors un peu ou j'essaie de me reposer. Je ne parle habituellement pas à mon voisin parce que j'utilise cette période pour me détendre, travailler et penser.

Utilisez des cartes de crédit pour tout payer. Les reçus de cartes de crédit vous permettront de bien tenir votre comptabilité.

Comme j'essaie de ne pas m'absenter plus longtemps que nécessaire, je voyage parfois à des heures inhabituelles afin d'arriver à la maison rapidement et d'être avec ma famille plus longtemps. À cause de cela, je saute parfois des repas. Habituellement, je mange des arachides, une tablette de chocolat ou un fruit. De toute façon, ne vous inquiétez pas si vous sautez un repas. Le jeûne élimine les toxines, quelles qu'elles soient.

Les cadenas à combinaison sur les valises sont plus sûrs et posent moins de problèmes que les cadenas à clé; vous n'avez pas à vous inquiéter de vos clés.

Donnez des pourboires raisonnables, ni trop peu, car les gens en ont besoin pour vivre, ni trop. Il ne s'agit pas d'acheter de la bonne volonté. Je garde toujours de la monnaie et des petites coupures dans ma poche pour ne pas avoir à demander de la monnaie ou à fouiller dans mon sac à main.

Ayez à portée de la main un dossier de travail ou quelque chose à lire en cas de retard ou d'un long vol. Emportez du papier à lettres, des cartes postales et des timbres-poste de même que des pièces de monnaie pour le téléphone.

Établissez une liste pour vous rappeler quoi emporter dans vos bagages. N'oubliez pas votre sens de l'humour. Voyager peut créer du stress de façon inattendue. Essayez de vous détendre autant que possible pour éviter les problèmes de décalage horaire. Je porte mes vêtements les plus confortables, j'enlève mes chaussures, je me décontracte et je fais une petite sieste dès que possible.

J'avoue qu'il fut un temps où je détestais voyager, mais maintenant ce n'est vraiment plus un problème. Comme dans les autres domaines de votre vie, apprenez à simplifier les choses.

SECTION PRATIQUE

**Exercices pour faire
de vous une gagnante
en organisation du temps**

COMMENT JE SENS CE QUE JE SENS

Chaque fois que vous vous sentez inférieure, inscrivez-le sur cette page. Notez la date et la circonstance précise qui a causé cette sensation.

Date	Sentiment	Circonstances

_____

_____

_____

_____

_____

_____

LISTE DE CHOSES REMISES À PLUS TARD

Quelles sont les choses que vous avez remises à plus tard? Les délais peuvent vous causer des soucis et entraîner un abaissement de votre amour-propre. Inscrivez ici tout ce que vous avez remis à plus tard. Il peut s'agir d'une note de remerciement ou d'une promesse faite à votre enfant. Il peut s'agir aussi de choses plus importantes comme compléter votre rapport d'impôt, prendre les mesures nécessaires pour vous qualifier pour une promotion ou rencontrer votre patron pour obtenir cette augmentation que vous méritez.

_____

_____

_____

_____

_____

_____

_____

_____

_____

_____

_____

_____

_____

_____

_____

_____

PARDONNER ET OUBLIER

Dans la première partie, inscrivez toutes les situations au sujet desquelles vous vous sentez coupable ou frustrée et qui ne peuvent tout simplement pas être changées. Vous avez fait de votre mieux, vous avez agi conformément à l'information que vous aviez reçue mais ça n'a pas bien tourné. Rappelez-vous que ces situations font maintenant partie du passé. Vous ne pouvez rien y changer. Alors, pardonnez-vous à vous-même et laissez-les derrière vous. Dans la partie suivante, faites la liste de vos erreurs personnelles qui devraient être corrigées. Si vous avez besoin de vous excuser, faites-le. Si vous avez remis quelque chose à plus tard, corrigez la situation et allez de l'avant. Si une action positive peut améliorer une situation négative, inscrivez-la puis exécutez-la. Dans la troisième partie, faites la liste de tous les individus contre lesquels vous êtes en colère ou dont vous croyez qu'ils vous ont lésée. Trouvez une façon de leur pardonner afin d'utiliser cette énergie à des fins constructives.

Culpabilité ressentie par rapport à des situations ne pouvant être changées

_____

_____

_____

Culpabilité ressentie à cause d'erreurs que j'ai négligé de corriger

_____

_____

_____

Personnes contre lesquelles je suis en colère ou par lesquelles je me sens lésée

_____

_____

_____

AFFIRMATIONS POSITIVES

Dressez une liste d'énoncés centrés sur le présent, comme: "Je fais les bonnes choses en premier" ou "Je suis très contente d'être en vie aujourd'hui" ou "Je m'aime". Après avoir écrit l'énoncé, répétez-le à haute voix et représentez-vous cet énoncé comme faisant partie de votre vie à la minute même. Agissez en conséquence dès maintenant, *pas demain ou la semaine prochaine mais dès maintenant*. Répétez cette affirmation au moins une fois par jour.

_____

_____

_____

_____

_____

_____

_____

_____

_____

_____

_____

_____

_____

_____

_____

MES FAÇONS PRÉFÉRÉES DE PASSER MON TEMPS

Rédigez la liste de vos vingt façons préférées de passer votre temps. Examinez ensuite les activités qui pourraient contribuer au succès de votre carrière.

1. _____
2. _____
3. _____
4. _____
5. _____
6. _____
7. _____
8. _____
9. _____
10. _____
11. _____
12. _____

13. _____
14. _____
15. _____
16. _____
17. _____
18. _____
19. _____
20. _____

VOS RÊVES

Faites la liste de tous vos rêves, objectifs et désirs. Qu'aimeriez-vous atteindre, accomplir, posséder? Quelles nouvelles expériences souhaiteriez-vous vivre?

_____

_____

_____

_____

_____

_____

_____

_____

_____

_____

_____

_____

_____

_____

_____

_____

_____

_____

_____

_____

CE DONT J'AI BESOIN POUR ÊTRE HEUREUSE

Évaluez les éléments suivants sur une échelle de 1 à 5, la valeur 5 étant attribuée aux choses les plus importantes pour vous. Relisez ensuite les énoncés et tracez une croix devant les besoins qui ne sont pas satisfaits actuellement.

NOTE: Cet exercice est inspiré d'un exercice conçu par le docteur Lila Swell dans son livre *Success: You Can Make it Happen.*

1. _____ J'ai besoin d'être entourée de beauté.
2. _____ J'ai besoin d'être engagée dans des projets créatifs.
3. _____ J'ai besoin d'avoir un beau corps.
4. _____ J'ai besoin de posséder de beaux vêtements.
5. _____ J'ai besoin d'être physiquement en forme.
6. _____ J'ai besoin de remporter des victoires sportives.
7. _____ J'ai besoin de tranquillité quotidiennement pour utiliser mon temps comme je le veux.
8. _____ J'ai besoin de possessions fabuleuses, comme une maison luxueuse, une automobile dispendieuse ou une piscine.
9. _____ J'ai besoin de collectionner.
10. _____ J'ai besoin de vendre des choses pour réaliser un profit.
11. _____ J'ai besoin d'être mon propre patron.
12. _____ J'ai besoin de diversité dans mon travail.
13. _____ J'ai besoin de réaliser des projets.

14. _____ J'ai besoin de l'approbation de mes pairs.
15. _____ J'ai besoin d'amis.
16. _____ J'ai besoin d'être "le numéro un" en quelque chose.
17. _____ J'ai besoin de considération ou de renommée.
18. _____ J'ai besoin d'être indépendante.
19. _____ J'ai besoin d'avoir une relation stable et solide avec quelqu'un.
20. _____ J'ai besoin de nouer de nouvelles relations.
21. _____ J'ai besoin d'être proche des gens.
22. _____ J'ai besoin d'être utile et d'aider les autres à croître.
23. _____ J'ai besoin de voyager.
24. _____ J'ai besoin de vivre de nouvelles expériences.
25. _____ J'ai besoin d'être aimée.
26. _____ J'ai besoin de m'affirmer.
27. _____ J'ai besoin d'exercer du pouvoir sur mon entourage.
28. _____ J'ai besoin d'avoir de l'influence sur la vie des autres.
29. _____ J'ai besoin de corriger des défauts et de surmonter des obstacles.
30. _____ J'ai besoin de changer mon caractère ou ma personnalité.
31. _____ J'ai besoin d'organisation.
32. _____ J'ai besoin d'être en harmonie avec Dieu.
33. _____ J'ai besoin de participer à l'oeuvre d'un organisme charitable ou religieux.
34. _____ J'ai besoin d'inventer.
35. _____ J'ai besoin de posséder des diplômes.
36. _____ J'ai besoin de communication verbale et écrite avec les autres.
37. _____ J'ai besoin d'aventure.
38. _____ J'ai besoin d'être amoureuse.
39. _____ J'ai besoin de vivre dans la nature.
40. _____ J'ai besoin que mon budget soit équilibré.
41. _____ J'ai besoin de me sentir spéciale et unique.
42. _____ J'ai besoin d'être spontanée.
43. _____ J'ai besoin de me sentir à l'aise dans toutes les situations sociales.
44. _____ J'ai besoin de relations familiales étroites.
45. _____ J'ai besoin de développer de nouveaux talents.
46. _____ J'ai besoin d'être consciente de tout ce qui arrive dans le monde.
47. _____ J'ai besoin d'agir pour les autres.

48. _____ J'ai besoin de mener une vie équilibrée.
49. _____ J'ai besoin de travailler avec les enfants.

VOTRE JOURNÉE PARFAITE

Décrivez en détail votre journée parfaite. Où a-t-elle lieu? Avec qui êtes-vous? Quelles activités aimez-vous faire? Soyez précise. Que portez-vous? Que mangez-vous? À quelle heure vous levez-vous le matin? Travaillez-vous ou vous amusez-vous? C'est une journée qui doit satisfaire tous vos besoins.

_____

_____

_____

_____

_____

_____

_____

_____

_____

_____

_____

_____

_____

_____

_____

VOTRE PLAN QUINQUENNAL

Où voulez-vous être dans cinq ans? Quelle sera votre situation financière? Décrivez votre maison, vos biens, votre style de vie. Êtes-vous en forme? Comment vous habillez-vous? Comment occupez-vous vos loisirs? Quelles sont vos activités professionnelles? Quelles sont vos principales réussites?

_____

_____

_____

VOTRE MISSION SPÉCIALE SUR TERRE
_____

Quelle sorte de contribution voudriez-vous apporter à l'humanité? Voulez-vous améliorer l'environnement, apporter une contribution culturelle, inventer quelque chose ou corriger un tort? Pensez d'abord aux changements que vous souhaitez voir et demandez-vous ensuite ce que vous pouvez faire pour qu'ils se produisent.

_____

_____

_____

_____

_____

_____

_____

_____

_____

_____

_____

_____

_____

_____

_____

_____

_____

_____

_____

_____

DÉFINITION DE VOS PRIORITÉS

Quels sont vos trois principaux objectifs dans la vie?

1. _____

2. _____

3. _____

Si vous n'aviez que six mois à vivre, quels seraient vos objectifs majeurs?

_____

_____

Que feriez-vous aujourd'hui si vous pouviez choisir vos activités?

_____

_____

Que choisiriez-vous d'entreprendre si vous saviez que vous ne pouvez pas échouer?

_____

_____

FEUILLE DE ROUTE POUR LA RÉALISATION D'UN OBJECTIF À COURT TERME

Quel est mon objectif à court terme?

_____

_____

Comment cet objectif est-il relié à mon objectif global ou à mon rêve?

_____

_____

En quoi le fait de l'atteindre me sera-t-il utile?

_____

_____

Quel est mon plan d'action?

_____

_____

Combien de temps dois-je prévoir pour atteindre cet objectif à court terme?

_____

_____

Comment me récompenserai-je de l'avoir réalisé?

_____

_____

EXEMPLE DE PLAN POUR LA RÉALISATION D'UN OBJECTIF À COURT TERME

Quel est mon objectif à court terme?

> Faire dessiner les plans de la maison de mes rêves.

Comment cet objectif est-il relié à mon objectif global ou à mon rêve?

> C'est une étape nécessaire si on veut construire une maison qui soit à la mesure de nos besoins.

En quoi la réalisation de cet objectif m'aidera-t-elle?

> Lorsque je saurai à quoi ressemble la maison de mes rêves, je me mettrai à la recherche du meilleur endroit où la construire.

Quel est mon plan d'action?

> 1. Consulter les membres de la famille pour connaître les goûts de chacun. Faire la liste de tous les éléments désirés.
> 2. Trouver des photos des caractéristiques de cette maison.
> 3. Parler à d'autres personnes qui ont conçu leur maison. Leur demander de nous recommander un architecte compétent.

4. Choisir et consulter un architecte. Lui demander de dessiner les plans.

Combien de temps dois-je prévoir pour atteindre cet objectif à court terme?

Un mois.

Comment me récompenserai-je de l'avoir atteint?

J'achèterai un tableau que j'accrocherai dans la cuisine de ma nouvelle maison.

FEUILLE DE ROUTE: LE PRIX À PAYER

Exigences financières	Exigences scolaires

Temps requis	Habitudes requises

Exigences de personnalité	Exigences physiques

Expérience ou formation recommandée

Les caractéristiques de mes modèles

_____

_____

Pièges à éviter

_____

_____

COMMENT VOUS SENTEZ-VOUS?

En vous servant de ce graphique, notez vos hauts et vos bas sur les plans physique, mental et émotif pendant une semaine. En moins de quelques jours, vous devriez remarquer un cycle. Apprenez à vous servir de ce cycle à votre avantage en planifiant les activités les mieux appropriées à votre capacité de tel ou tel moment.

Heure	Physiquement	Mentalement	Émotivement
7 h			
8 h			
9 h			
10 h			
11 h			

12 h

13 h

14 h

15 h

16 h

17 h

18 h

19 h

20 h

21 h

22 h

23 h

24 h

COMBIEN DE TEMPS GASPILLEZ-VOUS?

Faites une liste des activités non essentielles auxquelles vous consacrez actuellement trop de temps (regarder la télévision, téléphoner, faire du shopping, etc.). Indiquez le temps passé chaque jour à chaque activité. La semaine suivante, mettez-vous au défi d'utiliser ces heures plus productivement.

Activité	Lundi	Mardi	Mercredi	Jeudi	Vendredi	Samedi	Dimanche

POUR UNE UTILISATION MAXIMALE
DE VOS PÉRIODES D'ATTENTE

Faites une liste de toutes les tâches et activités que vous pouvez accomplir en cinq ou dix minutes. Pensez à cette liste durant la journée et essayez d'utiliser au maximum les courtes périodes d'attente ou de transition.

_____

_____

_____

L'HEURE DU LUNCH

_____

Faites une liste de toutes les choses que vous pourriez faire pendant votre heure de lunch (à part manger). Pensez à des objectifs à long terme et des loisirs. Mettez-vous au défi de faire au moins une de ces choses cette semaine.

_____

_____

_____

_____

_____

_____

_____

_____

_____

_____

_____

_____

_____

_____

_____

_____

_____

_____

_____

FAIRE LE MEILLEUR USAGE
POSSIBLE DE VOTRE TEMPS

Dressez une liste des meilleurs moyens d'utiliser votre temps pour atteindre vos objectifs. Inscrivez vos forces, vos talents, les choses que vous faites mieux que quiconque et le travail qui vous apporte le plus de satisfaction.

_____

_____

_____

_____

_____

_____

_____

_____

_____

_____

_____

_____

_____

_____

_____

_____

_____

_____

_____

DÉLÉGATION DE FONCTIONS

Dressez une liste de toutes les tâches que vous n'aimez pas, que vous ne vous croyez pas apte à faire ou que vous souhaiteriez déléguer à quelqu'un. Faites la liste des personnes les plus aptes à accomplir chacune de ces tâches.

Tâche à déléguer

Personne la plus apte
à accomplir cette tâche

_____

_____

_____

_____

_____

_____

_____

_____

_____

_____

_____

_____

_____

_____

_____

_____

_____

LA REPRÉSENTATION

Voici une façon rapide et facile de détendre votre corps et votre esprit et de vous représenter votre succès futur. Utilisez cette technique tous les jours et essayez certains des exercices suggérés dans les pages suivantes.

1. Étendez-vous sur un lit, un divan ou sur le plancher. Fermez les yeux et prenez trois respirations profondes. Plusieurs trouvent difficile de respirer de la sorte. Imaginez que vous êtes une chanteuse d'opéra ou une coureuse de longue distance. Remplissez vos poumons à pleine capacité.

2. Tendez les muscles de vos membres les uns après les autres. Commencez par les orteils, les pieds, les chevilles, les mollets, etc. Avant de passer à une autre partie du corps, relâchez bien les muscles.

3. Maintenant, examinez votre corps. Ressentez-vous de la tension quelque part? Si oui, imaginez que vous respirez profondément dans ces muscles.

4. Prenez sept respirations profondes en essayant toujours de remplir vos poumons. En inspirant, imaginez que votre corps se remplit d'air pur. En expirant, imaginez que votre corps se nettoie de toute impureté.

5. Comptez: 5... 4... 3... 2... 1. En comptant, pensez que vous vous enfoncez de plus en plus profondément dans votre inconscient.

Cette relaxation totale vous permettra de vous représenter en train d'atteindre avec succès votre objectif. Voici quelques exercices:

1. Imaginez votre corps. En entrant dans la zone de représentation (zone R), examinez-vous attentivement. Observez vos yeux, votre sourire et la texture de votre peau.

Imaginez-vous en mouvement, marchant, vous tenant debout, vous asseyant, travaillant. Vous déplacez-vous avec aisance? Êtes-vous gracieuse, enthousiaste et alerte?

C'est votre être matériel qui profitera de votre réalité future. Imaginez votre corps comme vous voulez qu'il soit.

2. Dans cet exercice, vous vous représenterez votre objectif ou votre rêve grâce à une série d'images. Par exemple, si votre rêve est de chanter sur une scène, ces images devraient comporter les moments qui précèdent votre arrivée sur scène, votre performance et les réactions de l'auditoire. Pouvez-vous ressentir la chaleur des projecteurs sur votre peau? Imaginez des individus dans la foule et observez leur expression. Imaginez-vous en mouvement. Imaginez votre voix. Comment vous sentez-vous dans votre costume?

Entrez maintenant dans la zone R. Rappelez-vous les détails de chaque image. Essayez de percevoir chaque image avec tous vos sens. Imaginez-vous en train de toucher, de sentir, de goûter, d'écouter et de voir chaque aspect de votre expérience.

3. Avant d'entrer dans la zone R, écrivez cinq énoncés résumant ce que vous voudriez être, par exemple: "Je suis créative. Je peux inventer des solutions pour résoudre mes difficultés. Je suis à l'aise

dans n'importe quel groupe." Entrez maintenant dans la zone R et représentez-vous l'image reflétant ces énoncés.

4. Choisissez un de vos défauts, qui vous nuit maintenant ou qui nuit à la réalisation de vos objectifs futurs. Après avoir identifié cette attitude, pensez à l'image visuelle consciente qu'elle évoque et aux émotions qu'elle suscite. Choisissez ensuite une qualité. Pensez à des images et à des attitudes mentales positives. Entrez dans la zone R et imaginez-vous adoptant cette nouvelle attitude avec ces nouvelles images mentales et ces nouvelles émotions.

Lorsque vous avez terminé chaque représentation, comptez jusqu'à cinq puis ouvrez les yeux; retournez ensuite travailler et commencez à réaliser vos rêves.

VOUS AMÉLIORER

Dressez une liste des changements que vous voulez apporter, des mauvaises habitudes que vous devez surmonter, des habiletés que vous voulez acquérir afin d'atteindre vos objectifs et de réaliser vos rêves.

_____

_____

_____

_____

_____

_____

_____

_____

_____

_____

_____

_____

_____

_____

_____

_____

_____

_____

_____

_____

_____

VOUS LANCEZ-VOUS DES DÉFIS?

Chaque semaine, faites-vous une liste de promesses que vous devez respecter? Lancez-vous des défis chaque semaine?

Première semaine:

_____

_____

Deuxième semaine:

_____

_____

Troisième semaine:

_____

_____

Quatrième semaine:

_____

_____

Cinquième semaine:

_____

_____

Sixième semaine:

_____

_____

Septième semaine:

_____

_____

Huitième semaine:

_____

_____

LISTE DE DÉFAUTS

Faites le tour de votre maison et dressez la liste des choses qui vous dérangent vraiment, comme un rideau qui n'a jamais été réparé ou une armoire trop pleine. Il peut s'agir d'un problème de structure plus grave, par exemple le manque d'espace de rangement dans la cuisine ou l'absence de salle de jeu pour les enfants. Cette liste vous aidera quand vous voudrez entreprendre des améliorations.

_____

_____

_____

_____

_____

_____

_____

_____

_____

_____

_____

_____

_____

_____

_____

_____

_____

_____

TÂCHES QUE JE REMETS À PLUS TARD

Votre liste de retards peut inclure certains éléments de votre liste de "défauts" de même que des tâches domestiques que vous avez négligées. Après avoir dressé votre liste, analysez les raisons pour lesquelles vous avez remis chacune de ces tâches à plus tard. Était-ce parce que vous n'aviez pas les outils nécessaires? Vous sentiez-vous accablée par l'ampleur de la tâche? Ou la détestiez-vous? Essayez de diviser la tâche en petites parties et allez au magasin acheter ce qui vous manque pour la mener à bien.

Tâche   Raison du retard

AMÉLIORATIONS À VOTRE ENVIRONNEMENT

Date	Ce que j'ai fait	Impressions

POTENTIEL DES MEMBRES
DE VOTRE ÉQUIPE À SUCCÈS

1. _____

2. _____

3. _____

4. _____

5. _____

6. _____

7. _____

8. _____

9. _____

10. _____

11. _____

12. _____

13. _____

14. _____

15. _____

16. _____

PROFIL DE LA PERSONNE RECHERCHÉE

Nom: _____

_____

_____

Qu'est-ce que je sais de cette personne?

_____

_____

Pourquoi cette personne voudrait-elle m'appuyer ou travailler avec moi?

_____

_____

Quelles mauvaises habitudes ai-je surmontées et quelles bonnes habitudes ai-je développées?

_____

_____

Date de notre entrevue: _____

Les résultats de notre entrevue:

_____

_____

Si les résultats sont négatifs, les raisons pour lesquelles je n'ai pas obtenu le soutien de cet individu:

_____

_____

Comment puis-je corriger ou améliorer mon approche?

_____

_____

_____

_____

LISTE DE PROBLÈMES

Faites une liste de tous les problèmes auxquels vous faites face actuellement. Notez votre attitude générale vis-à-vis de chaque problème: par exemple, peur, retard ou sentiment d'impuissance.

_____

_____

_____

_____

_____

_____

_____

_____

_____

_____

_____

_____

_____

_____

_____

_____

_____

_____

LA DÉFINITION DE VOTRE PROBLÈME

_____

Énoncez votre problème de plusieurs façons. Essayez de l'examiner sous des angles différents. Ce problème est-il passager ou est-il au contraire le symptôme d'un blocage plus important et plus complexe?

_____

_____

_____

_____

_____

_____

Exprimez maintenant votre problème sous forme de questions. Énoncez votre problème en vous posant une série de questions. Les réponses à ces questions constitueront les réponses à votre problème.

_____

_____

_____

_____

_____

_____

_____

_____

_____

_____

LE BRASSAGE D'IDÉES

Demandez à cinq ou six amis de se joindre à vous pour une session de travail et dressez la liste de toutes les idées qui en ressortent.

_____

_____

_____

_____

_____

_____

_____

_____

_____

_____

_____

_____

_____

_____

_____

_____

_____

_____

_____

SOLUTION — ACTION

_____

Énoncez la solution adoptée. Dressez la liste des avantages et des inconvénients de votre choix.

_____

_____

_____

_____

_____

_____

_____

_____

_____

_____

Dressez la liste des étapes de votre plan d'action. Fixez un délai pour franchir chaque étape. N'oubliez pas de prévoir les retards.

_____

_____

_____

_____

_____

_____

_____

_____

_____

ÉVALUATION

_____

Évaluez votre solution et votre plan d'action. Est-ce que votre solution apporte des résultats positifs? Avez-vous su agir et surmonter vos difficultés? Quelles erreurs avez-vous faites? Quelles sont vos suggestions pour l'avenir?

_____

_____

_____

_____

_____

_____

_____

_____

_____

_____

_____

_____

_____

_____

_____

_____

_____

_____

IDENTIFICATION DE VOS FRUSTRATIONS

Identifiez, classez et décrivez les frustrations que vous ressentez actuellement. Quelle est la cause de chacune de ces situations? Comment influence-t-elle votre travail et votre façon d'organiser votre temps? Comment avez-vous choisi d'exprimer vos émotions?

_____

_____

_____

_____

_____

_____

_____

_____

_____

_____

_____

_____

_____

_____

_____

_____

_____

LA PÉRIODE D'INCUBATION

Vous pouvez être certaine de trouver les réponses à vos problèmes si vous rassemblez suffisamment d'information pour les régler. Avez-vous soigneusement étudié vos problèmes ou les causes de votre frustration? Avez-vous considéré toutes les possibilités? Jetez un nouveau regard sur ce que vous vous avez en tête. Utilisez l'espace qui suit pour classer vos idées. Inscrivez tout ce que vous savez de votre situation. Y a-t-il des inconnues? Pouvez-vous faire un peu plus de recherche? Cela pourrait vous apporter la réponse que vous cherchez.

_____

_____

_____

_____

_____

_____

_____

_____

_____

_____

_____

_____

_____

VOTRE FAÇON DE FAIRE
FACE À LA FRUSTRATION

_____

Il y a de nombreuses façons de faire face à la frustration; certaines sont efficaces, d'autres non. Servez-vous de cette page pour examiner tous les moyens susceptibles de vous aider à faire face à une situation stressante.

_____

_____

_____

_____

SI VOUS ÊTES COINCÉE

Des clients viennent souvent me dire: "Je suis coincé; je ne peux pas aller plus loin dans la poursuite de mes objectifs". Je ne les crois jamais. Peut-être avez-vous des problèmes dans un domaine particulier, mais il existe d'autres voies pour atteindre votre but. Inscrivez tout ce que vous pourriez faire *aujourd'hui* pour vous permettre de progresser.

Table des matières

Lithographié au Canada
sur les presses de
Métropole Litho Inc.

Ouvrages parus aux
ÉDITIONS
DE L'HOMME

sans * pour l'Amérique du Nord seulement
* pour l'Europe et l'Amérique du Nord
** pour l'Europe seulement

ALIMENTATION — SANTÉ

Allergies, Les, Dr Pierre Delorme
* **Cellulite, La,** Dr Jean-Paul Ostiguy
Conseils de mon médecin de famille, Les, Dr Maurice Lauzon
Contrôler votre poids, Dr Jean-Paul Ostiguy
Diététique dans la vie quotidienne, La, Louise Lambert-Lagacé
Face-lifting par l'exercice, Le, Senta Maria Rungé
* **Guérir ses maux de dos,** Dr Hamilton Hall

* **Maigrir en santé,** Denyse Hunter
* **Maigrir, un nouveau régime de vie,** Edwin Bayrd
Massage, Le, Byron Scott
Médecine esthétique, La, Dr Guylaine Lanctôt
* **Régime pour maigrir,** Marie-Josée Beaudoin
* **Sport-santé et nutrition,** Dr Jean-Paul Ostiguy
* **Vivre jeune,** Myra Waldo

ART CULINAIRE

Agneau, L', Jehane Benoit
Art d'apprêter les restes, L', Suzanne Lapointe
* **Art de la cuisine chinoise, L',** Stella Chan
Art de la table, L', Marguerite du Coffre
Boîte à lunch, La, Louise Lambert-Lagacé
Bonne table, La, Juliette Huot
Brasserie la Mère Clavet vous présente ses recettes, La, Léo Godon
Canapés et amuse-gueule
101 omelettes, Claude Marycette
Cocktails de Jacques Normand, Les, Jacques Normand
Confitures, Les, Misette Godard
* **Congélation des aliments, La,** Suzanne Lapointe
* **Conserves, Les,** Soeur Berthe
* **Cuisine au wok, La,** Charmaine Solomon
Cuisine chinoise, La, Lizette Gervais
Cuisine de Maman Lapointe, La, Suzanne Lapointe
Cuisine de Pol Martin, La, Pol Martin
Cuisine des 4 saisons, La, Hélène Durand-LaRoche

* **Cuisine du monde entier, La,** Jehane Benoit
Cuisine en fête, La, Juliette Lassonde
Cuisine facile aux micro-ondes, Pauline Saint-Amour
* **Cuisine micro-ondes, La,** Jehane Benoit
Desserts diététiques, Claude Poliquin
Du potager à la table, Paul Pouliot, Pol Martin
En cuisinant de 5 à 6, Juliette Huot
* **Faire son pain soi-même,** Janice Murray Gill
* **Fèves, haricots et autres légumineuses,** Tess Mallos
Fondue et barbecue
* **Fondues et flambées de Maman Lapointe,** S. et L. Lapointe
Fruits, Les, John Goode
Gastronomie au Québec, La, Abel Benquet
Grande cuisine au Pernod, La, Suzanne Lapointe
Grillades, Les
* **Guide complet du barman, Le,** Jacques Normand
Hors-d'oeuvre, salades et buffets froids, Louis Dubois

Provencher, le dernier des coureurs de bois, Paul Provencher
Réal Caouette, Marcel Huguet
Révolte contre le monde moderne, Julius Evola
Struma, Le, Michel Solomon
Temps des fêtes au Québec, Le, Raymond Montpetit
Terrorisme québécois, Le, Dr Gustave Morf

* Treizième chandelle, La, T. Lobsang Rampa
Troisième voie, La, Me Emile Colas
Trois vies de Pearson, Les, J.-M. Poliquin, J.R. Beal
Trudeau, le paradoxe, Anthony Westell
Vizzini, Sal Vizzini
Vrai visage de Duplessis, Le, Pierre Laporte

ENCYCLOPÉDIES

Encyclopédie de la chasse au Québec, Bernard Leiffet
Encyclopédie de la maison québécoise, M. Lessard, H. Marquis
* Encyclopédie de la santé de l'enfant, L', Richard I. Feinbloom
Encyclopédie des antiquités du Québec, M. Lessard, H. Marquis

Encyclopédie des oiseaux du Québec, W. Earl Godfrey
Encyclopédie du jardinier horticulteur, W.H. Perron
Encyclopédie du Québec, vol. I, Louis Landry
Encyclopédie du Québec, vol. II, Louis Landry

ENFANCE ET MATERNITÉ

* Aider son enfant en maternelle et en 1ère année, Louise Pedneault-Pontbriand
* Aider votre enfant à lire et à écrire, Louise Doyon-Richard
Avoir un enfant après 35 ans, Isabelle Robert
* Comment avoir des enfants heureux, Jacob Azerrad
Comment amuser nos enfants, Louis Stanké
* Comment nourrir son enfant, Louise Lambert-Lagacé
* Découvrez votre enfant par ses jeux, Didier Calvet
Des enfants découvrent l'agriculture, Didier Calvet
* Développement psychomoteur du bébé, Le, Didier Calvet
* Douze premiers mois de mon enfant, Les, Frank Caplan
Droits des futurs parents, Les, Valmai Howe Elkins
* En attendant notre enfant, Yvette Pratte-Marchessault
Enfant unique, L', Ellen Peck
* Éveillez votre enfant par des contes, Didier Calvet

* Exercices et jeux pour enfants, Trude Sekely
Femme enceinte, La, Dr Robert A. Bradley
Futur père, Yvette Pratte-Marchessault
* Jouons avec les lettres, Louise Doyon-Richard
* Langage de votre enfant, Le, Claude Langevin
Maman et son nouveau-né, La, Trude Sekely
Merveilleuse histoire de la naissance, Dr Lionel Gendron
Pour bébé, le sein ou le biberon, Yvette Pratte-Marchessault
Pour vous future maman, Trude Sekely
* Préparez votre enfant à l'école, Louise Doyon-Richard
* Psychologie de l'enfant, La, Françoise Cholette-Pérusse
* Tout se joue avant la maternelle, Isuba Mansuka
* Trois premières années de mon enfant, Les, Dr Burton L. White
* Une naissance apprivoisée, Edith Fournier, Michel Moreau

LANGUE

Améliorez votre français, Jacques Laurin

* Anglais par la méthode choc, L', Jean-Louis Morgan

Corrigeons nos anglicismes, Jacques Laurin

* J'apprends l'anglais, G. Silicani et J. Grisé-Allard

Notre français et ses pièges, Jacques Laurin

Petit dictionnaire du joual au français, Augustin Turennes

Verbes, Les, Jacques Laurin

LITTÉRATURE

Adieu Québec, André Bruneau
Allocutaire, L', Gilbert Langlois
Arrivants, Les, collaboration
Berger, Les, Marcel Cabay-Marin
Bigaouette, Raymond Lévesque
Carnivores, Les, François Moreau
Carré St-Louis, Jean-Jules Richard
Centre-ville, Jean-Jules Richard
Chez les termites, Madeleine Ouellette-Michalska
Commettants de Caridad, Les, Yves Thériault
Danka, Marcel Godin
Débarque, La, Raymond Plante
Domaine Cassaubon, Le, Gilbert Langlois
Doux mal, Le, Andrée Maillet
D'un mur à l'autre, Paul-André Bibeau
Emprise, L', Gaétan Brulotte
Engrenage, L', Claudine Numainville
En hommage aux araignées, Esther Rochon
Faites de beaux rêves, Jacques Poulin
Fuite immobile, La, Gilles Archambault

J'parle tout seul quand Jean Narrache, Émile Coderre
Jeu des saisons, Le, Madeleine Ouellette-Michalska
Marche des grands cocus, La, Roger Fournier
Monde aime mieux..., Le, Clémence Desrochers
Mourir en automne, Claude DeCotret
N'Tsuk, Yves Thériault
Neuf jours de haine, Jean-Jules Richard
New medea, Monique Bosco
Outaragasipi, L', Claude Jasmin
Petite fleur du Vietnam, La, Clément Gaumont
Pièges, Jean-Jules Richard
Porte silence, Paul-André Bibeau
Requiem pour un père, François Moreau
Si tu savais..., Georges Dor
Tête blanche, Marie-Claire Blais
Trou, Le, Sylvain Chapdeleine
Visages de l'enfance, Les, Dominique Blondeau

LIVRES PRATIQUES — LOISIRS

Améliorons notre bridge, Charles A. Durand
* Art du dressage de défense et d'attaque, L', Gilles Chartier
* Art du pliage du papier, L', Robert Harbin
* Baladi, Le, Micheline d'Astous
* Ballet-jazz, Le, Allen Dow et Mike Michaelson
* Belles danses, Les, Allen Dow et Mike Michaelson
Bien nourrir son chat, Christian d'Orangeville
Bien nourrir son chien, Christian d'Orangeville
Bonnes idées de maman Lapointe, Les, Lucette Lapointe
* Bridge, Le, Vivianne Beaulieu
Budget, Le, en collaboration
Choix de carrières, T. I, Guy Milot
Choix de carrières, T. II, Guy Milot

Choix de carrières, T. III, Guy Milot
Collectionner les timbres, Yves Taschereau
Comment acheter et vendre sa maison, Lucile Brisebois
Comment rédiger son curriculum vitae, Julie Brazeau
Comment tirer le maximum d'une mini-calculatrice, Henry Mullish
Conseils aux inventeurs, Raymond-A. Robic
Construire sa maison en bois rustique, D. Mann et R. Skinulis
Crochet jacquard, Le, Brigitte Thérien
Cuir, Le, L. St-Hilaire, W. Vogt
* Découvrir son ordinateur personnel, François Faguy
Dentelle, La, Andrée-Anne de Sève
Dentelle II, La, Andrée-Anne de Sève
Dictionnaire des affaires, Le, Wilfrid Lebel

4

PHOTOGRAPHIE

* **Guide des accessoires et appareils photos, Le,** Antoine Desilets, Paul Taillefer
* **Je prends des photos,** Antoine Desilets
* **Photo à la portée de tous, La,** Antoine Desilets
* **Photo de A à Z, La,** Desilets, Coiteux, Gariépy
* **Photo Reportage,** Alain Renaud
* **Technique de la photo, La,** Antoine Desilets

PLANTES ET JARDINAGE

Arbres, haies et arbustes, Paul Pouliot
Automne, le jardinage aux quatre saisons, Paul Pouliot
* **Décoration intérieure par les plantes, La,** M. du Coffre, T. Debeur
Été, le jardinage aux quatre saisons, Paul Pouliot
Guide complet du jardinage, Le, Charles L. Wilson
Hiver, le jardinage aux quatre saisons, Paul Pouliot
Jardins d'intérieur et serres domestiques, Micheline Lachance

Jardin potager, la p'tite ferme, Le, Jean-Claude Trait
Je décore avec des fleurs, Mimi Bassili
Plantes d'intérieur, Les, Paul Pouliot
Printemps, le jardinage aux quatre saisons, Paul Pouliot
Techniques du jardinage, Les, Paul Pouliot
* **Terrariums, Les,** Ken Kayatta et Steven Schmidt
Votre pelouse, Paul Pouliot

PSYCHOLOGIE

Âge démasqué, L', Hubert de Ravinel
* **Aider mon patron à m'aider,** Eugène Houde
* **Amour, de l'exigence à la préférence, L',** Lucien Auger
Caractères et tempéraments, Claude-Gérard Sarrazin
* **Coeur à l'ouvrage, Le,** Gérald Lefebvre
* **Comment animer un groupe,** collaboration
* **Comment déborder d'énergie,** Jean-Paul Simard
* **Comment vaincre la gêne et la timidité,** René-Salvator Catta
* **Communication dans le couple, La,** Luc Granger
* **Communication et épanouissement personnel,** Lucien Auger
Complexes et psychanalyse, Pierre Valinieff
* **Contact,** Léonard et Nathalie Zunin
* **Courage de vivre, Le,** Dr Ari Kiev
Dynamique des groupes, J.M. Aubry, Y. Saint-Arnaud
* **Émotivité et efficacité au travail,** Eugène Houde
* **Être soi-même,** Dorothy Corkille Briggs
* **Facteur chance, Le,** Max Gunther
* **Fantasmes créateurs, Les,** J.L. Singer, E. Switzer

Frères — Soeurs, la rivalité fraternelle, Dr J.F. McDermott, Jr
* **Hypnose, bluff ou réalité?,** Alain Marillac
* **Interprétez vos rêves,** Louis Stanké
* **J'aime,** Yves Saint-Arnaud
* **Mise en forme psychologique, La,** Richard Corriere et Joseph Hart
* **Parle moi... j'ai des choses à te dire,** Jacques Salomé
Penser heureux, Lucien Auger
* **Personne humaine, La,** Yves Saint-Arnaud
* **Première impression, La,** Chris. L. Kleinke
* **Psychologie de l'amour romantique, La,** Dr Nathaniel Branden
* **S'affirmer et communiquer,** J.-M. Boisvert, M. Beaudry
* **S'aider soi-même,** Lucien Auger
* **S'aider soi-même davantage,** Lucien Auger
* **S'aimer pour la vie,** Dr Zev Wanderer et Erika Fabian
* **Savoir organiser, savoir décider,** Gérald Lefebvre
* **Savoir relaxer pour combattre le stress,** Dr Edmund Jacobson
* **Se changer,** Michael J. Mahoney
* **Se comprendre soi-même,** collaboration
* **Se concentrer pour être heureux,** Jean-Paul Simard

* **Se connaître soi-même,** Gérard Artaud
* **Se contrôler par le biofeedback,** Paultre Ligondé
* **Se créer par la gestalt,** Joseph Zinker
Se guérir de la sottise, Lucien Auger
S'entraider, Jacques Limoges
Séparation du couple, La, Dr Robert S. Weiss
* **Trouver la paix en soi et avec les autres,** Dr Theodor Rubin

* **Vaincre ses peurs,** Lucien Auger
* **Vivre avec sa tête ou avec son coeur,** Lucien Auger
Volonté, l'attention, la mémoire, La, Robert Tocquet
Votre personnalité, caractère..., Yves Benoit Morin
* **Vouloir c'est pouvoir,** Raymond Hull
Yoga, corps et pensée, Bruno Leclercq
Yoga des sphères, Le, Bruno Leclercq

SEXOLOGIE

---

* **Avortement et contraception,** Dr Henry Morgentaler
* **Bien vivre sa ménopause,** Dr Lionel Gendron
* **Comment séduire les femmes,** E. Weber, M. Cochran
* **Comment séduire les hommes,** Nicole Ariana
Fais voir! W. McBride et Dr H.F.-Hardt
* **Femme enceinte et la sexualité, La,** Elizabeth Bing, Libby Colman
Femme et le sexe, La, Dr Lionel Gendron
* **Guide gynécologique de la femme moderne, Le,** Dr Sheldon H. Sherry
Helga, Eric F. Bender

Homme et l'art érotique, L', Dr Lionel Gendron
Maladies transmises sexuellement, Les, Dr Lionel Gendron
Qu'est-ce qu'un homme? Dr Lionel Gendron
Quel est votre quotient psychosexuel? Dr Lionel Gendron
* **Sexe au féminin, Le,** Carmen Kerr
Sexualité, La, Dr Lionel Gendron
* **Sexualité du jeune adolescent, La,** Dr Lionel Gendron
Sexualité dynamique, La, Dr Paul Lefort
* **Ta première expérience sexuelle,** Dr Lionel Gendron et A.-M. Ratelle
* **Yoga sexe,** S. Piuze et Dr L. Gendron

SPORTS

ABC du hockey, L', Howie Meeker
* **Aïkido — au-delà de l'agressivité,** M. N.D. Villadorata et P. Grisard
Apprenez à patiner, Gaston Marcotte
* **Armes de chasse, Les,** Charles Petit-Martinon
* **Badminton, Le,** Jean Corbeil
Ballon sur glace, Le, Jean Corbeil
Bicyclette, La, Jean Corbeil
* **Canoé-kayak, Le,** Wolf Ruck
* **Carte et boussole,** Björn Kjellström
100 trucs de billard, Pierre Morin
Chasse et gibier du Québec, Greg Guardo, Raymond Bergeron
Chasseurs sachez chasser, Lucien B. Lapierre
* **Comment se sortir du trou au golf,** L. Brien et J. Barrette
* **Comment vivre dans la nature,** Bill Riviere
* **Conditionnement physique, Le,** Chevalier-Laferrière-Bergeron
* **Corrigez vos défauts au golf,** Yves Bergeron

Corrigez vos défauts au jogging, Yves Bergeron
Danse aérobique, La, Barbie Allen
* **En forme après 50 ans,** Trude Sekely
* **En superforme par la méthode de la NASA,** Dr Pierre Gravel
Entraînement par les poids et haltères, Frank Ryan
Équitation en plein air, L', Jean-Louis Chaumel
Exercices pour rester jeune, Trude Sekely
* **Exercices pour toi et moi,** Joanne Dussault-Corbeil
Femme et le karaté samouraï, La, Roger Lesourd
Guide du judo (technique debout), Le, Louis Arpin
* **Guide du self-defense, Le,** Louis Arpin
* **Guide de survie de l'armée américaine, Le**
Guide du trappeur, Paul Provencher
Initiation à la plongée sous-marine, René Goblot

Imprimé au Canada/Printed in Canada

2